小学館文庫

ずっと、ずっと、あなたのそばに

映画「いま、会いにゆきます」——澪の物語

若月かおり

小学館文庫

ずっと、ずっと、あなたのそばに

映画「いま、会いにゆきます」――澪の物語

編集――菅原朝也
渡辺安奈

佑司《ゆうじ》、これ見て。ママね、佑司のために絵本を作ったの。
えほん？
そう、絵本。
えほん！
さあ、始まるわよ。
まぁるい。これ、おつきさま？
ううん、これはお星さま。このお星さまはね、アーカイブ星というの。
アーカブイ？
アーカイブ。

きいろい。

うん、黄色に光っているのよ。

ひかってる。

ここはね、死んだ人が行く星なの。

しんだ人?

佑司とパパと、ママのいるこの星から去って行った人たちが、この星で平和に穏やかに暮らしているの。

ふうん。

もしもいつか、
いつか、ママがアーカイブ星に行くことになっても、
ママここにいくの?
ママは佑司とパパをずっと、見守っているから。
すぐかえってくる?

ずっと、見守っているから。
ママ？　どうしてないてるの？

そしてね、
雨の季節になったら、
あなたたちがどんなふうに暮らしているか、きっと確かめに戻ってくるから。

腹部の鈍痛で目が覚めた。

深い呼吸を意識しながら寝返りを打ってみる。痛みは静かに増していき、体中に広がっていった。

隣で眠っているあなたを起こさないように、わたしはできるだけ静かに布団から出てキッチンに向かう。

食器棚の引き出しから薬袋を取り出す。片手でお腹《なか》を支えたまま袋から薬を取り出そうとするが、うまくいかない。床に座りこみ、両手で薬袋を引き裂いた。

大きく息を吐く。吸う。吐く。

薬を握り締めた手をシンクに置き、腕に渾身《こんしん》の力をこめて立ち上がる。

上体を起こし、その勢いでカプセル錠を口に入れる。腕を伸ばし、グラスを取って、水道の蛇口をひねった。

グラスの水を口に運ぶ。息を止め、無理やり水と薬を喉《のど》の奥に押し込み、息を吐いた。と同時にグラスをシンクの中に落としてしまった。

咄嗟《とっさ》にあなたと佑司の寝ているほうを見る。

静かだ。ふたりともよく寝ている。

わたしは荒い呼吸を繰り返しながら床に座りこむ。唸《うな》るような痛みが何度もわたしを襲う。わたしは呪文《じゅもん》の言葉を繰り返し呟《つぶや》いた。

大丈夫よ、……大丈夫。


その日、あなたはいつもより早く目覚めた。キッチンに入ってくると、テーブルに座っていたわたしの目の前に腰を下ろす。いつものわたしたちの場所。

「痛むの？」

心配そうにわたしの顔を見つめる。

わたしは肩をすくめて首を横に振る。

「なんだか、目が覚めちゃって……」

「怖い夢でも見た？」

そう、痛みに目が覚めるまで、わたしはたしかに夢を見ていた。

黄色い星――アーカイブ星。

清潔で、図書館のように静かな場所。

この世を去った者は、その星でみな穏やかに暮らしている。この世界に残る誰《だれ》かが彼らのことを覚えている限り、その星で生きていられる。

夢の中でわたしは、その星からあなたたちに呼びかけていた。

ちゃんとご飯を作ってる？

ちゃんとワイシャツにアイロンはかけた？

返事は、ないのだけれど。


「どんな夢？」

「不思議な夢だったわ」

「よかったら、教えてくれる？」

わたしはあなたを見る。

胸が震える。

わたしの気持ちはあの頃《ころ》となにも変わらない。

陸上部だったあなたがグラウンドで走っているのを、遠くから見つめていたあの頃と。


わたしは腕を伸ばして、あなたの頬《ほお》に触れた。

「あなたこそ、ちゃんと寝なくちゃ。そうでしょ？」

「澪《みお》……」

「わたしは平気よ」

わたしは小さく笑ってみせた。

「もう少し眠るといいわ。朝食を作ったら起こしてあげるから」

あなたは黙ってわたしの右手に触れる。それから隣の部屋で眠っている佑司をちょっとだけ振り返った。

「すごい寝相ね」

わたしは笑った。あなたも笑いながら応《こた》える。

「きっと幸せな夢を見てるんだよ」

「そうね」

「佑司に絵本を描《か》いたんだってね、聞いたよ」

あなたはわたしの右手を握りながら言う。

「僕も、佑司も」

四度目の退院から十九日目の朝――

「きみを失うなんてできない」

わたしはきっとこの朝のことを、アーカイブ星で何度も思い出すだろう。たくさんの、あなたとの幸せな思い出とともに。

「あなたはわたしを失ったりしないわ」

あなたはわたしを見る。

「そうだよね」

「大丈夫よ」

あなたは安心したように笑う。

「絵本のさ、アーカブイ星、上手に描いてたね」

「ありがとう。アーカイブ星なんだけどね」

「え？　そうなの？」

1

わたしがあなたと出会った時、わたしは十五歳で、あなたも十五歳だった。

出会った頃のわたしの髪はベリーショートで、まるで男の子みたいだった。

思春期特有の心の変化や体の変化についていけなくて、女の子として見られるよりも、ただの子どもでいたかったのだと思う。

髪をこれ以上できないくらい短くしていたけれど、それでも男の子のように扱われるのもいやだった。だから本当は、女の子であることを自然に受け入れているクラスメイトを見るたび、うらやましくて仕方なかった。

どうしてそんなふうに何の抵抗もなく、唇に口紅が塗れちゃうのかしら。

その頃のわたしは薬用のリップクリームでさえ、人前では絶対に塗れなかった。

なんだかとても、恥ずかしくて。

　恋の対象に男子を意識するのもなんとなくイヤで、視力が悪くなったのをいいことに、わたしは銀色のメタルフレームの眼鏡をかけていた。その眼鏡がどんなに可愛くないかは、わたしが一番よくわかっていたけれど、眼鏡をかけることで、ずいぶん安心できた気がする。眼鏡がわたしを守っていた。

　男の子に興味ないの。だからほっといて。

　そんなふうに。

　わたしたちは三年間同じクラスで同じ班で、席はたいていあなたの右隣か左隣だった。常にあなたはわたしの半径1メートル以内にいて、あなたを取り囲む空気にわたしはいつの間にかリラックスすることを覚えてた。

　いつもガチガチに構えていたわたしが、なぜかしら、あなたの半径1メートルがいちばん落ち着ける場所になっていた。

　だけどその頃はまだそれが恋だなんて気が付かなかったし、あなたは試験前にしかわたしに話しかけてこなかった。

「ゴメン榎田《えのきだ》さん、ノート貸してくれる？」

「どうぞ」

わたし、きっと可愛くない顔で貸してた。えっ、また？　みたいな顔であなたにノートを手渡してた。でもね、本当は嬉《うれ》しかった。誰かの役に立つなんて経験、たぶんこの時が初めてだった。誰かの役に立てて、胸が躍るなんて経験は間違いなくこの時が初めてだったと思う。嬉しくて笑いそうになっちゃったけど、こらえてたから余計ヘンな顔をしてたと思う。

「助かったよ。ありがとう」

「どういたしまして」

「すごく読みやすいよね。榎田さんのノートは上手にまとめてあって」

「そう？」

なんて言いながら、その言葉が嬉しくて、だから授業中熱心にノートをとった。だけどどういうわけか、成績は中の中だった。ヘンね。まぁいいけど。

あなたは陸上部で１５００メートルの選手だった。

放課後、教室から見えるグラウンドを何周も走っていた。

抜けるような青い空とグラウンドの間の高さから、走っているあなたを見ていると、胸が震えた。

走っているあなたを見ているこの一秒一秒が永遠ならいいのに、と思った。

ずっとあなたを見ていたい。

わたしはやがてこの気持ちが恋だと気付く。わたしの初めての恋だった。

その想いはあまりにも大切な宝物のようで、だから友だちにも、あなたにも、気付かれないように、心の奥底にしまっていた。


日本史の時間。

あなたはわたしの右隣であくびをしている。教科書を机に立てて、そこに隠れるようにうつむいて何度も。

「榎田さん」

あなたの声にわたしは右を向く。

幕末の日本。尊皇攘夷《じょうい》。

あなたがわたしの机の上を指さす。

なに？　ノート？

あなたが手を振る。ちがうちがう。

「シャープペンシル」

「え？」

「芯《しん》、出すぎ。折れちゃうよ」

わたしは慌ててシャープペンシルの芯を引っ込める。

右を見るともうあなたはあくびをしている。

幕末の日本。

教科書の内側であなたは腕を組んで、うつぶせて寝ている。

あなたは陸上の練習で疲れて、よく授業中寝ていた。

あなたは決まって机に腕を組んで、その上に顔を乗せて寝ていたけれど、たいていはわたしのほうに顔を向けて眠っていて、肩に隠れて見える寝顔はいつも、わたしを幸せな気持ちにした。


だけど、三年間なんてあっという間に過ぎてしまった。

心地よかった半径1メートルは、桜が蕾《つぼみ》になる前になくなってしまった。

卒業式を終えて教室に戻り、高校生活最後のホームルームも終えると、隣の席のあなたは机の中を整理していた。

「秋穂《あいお》くん」

手を伸ばせば届く距離に、あなたはいた。三年間、ずっと。

「なあに？　榎田さん」

「これになにか、書いて欲しいの」

わたしはサイン帳をあなたに見せた。

「いいよ、貸して」


『きみの隣はいごこちがよかったです。ありがとう』

ねえ、わたしたちは同じことを感じていたのよ。

わたしはありがとう、とあなたに言った。

「わたしも」

あなたのことが、

「あなたの隣はいごこちよく感じていたわ」

好きです。

「じゃあ、さよなら、榎田さん」

「ええ、さよなら」

あなたはスポーツバッグを持って教室から出て行った。あなたがわたしの半径1メートルから離れていくのを、わたしはゆっくりと実感した。


それからわたしたちは別々の路《みち》へ進んだ。

わたしは東京の大学に進学して、寮生活を始め、あなたは地元の大学に進学した。

半径1メートルは何十キロにも離れてしまった。

　ところで、あなたはサイン帳にメッセージを書いたあと、サイン帳といっしょにあなたのシャープペンシルまでわたしに渡していた。その時はドキドキして気付かなかったのだけど、握り締めているそれに気付いたのは校門を出たあとだった。

　正直に言うと、記念にもらおうかしらって考えた。サイン帳に書いてもらったあなたのシャープペンシル。きっとわたしは一生の宝物にする。でもこれはあなたのものだし、もしかすると大切なものかもしれないし、ひょっとするともう一度あなたに会える口実になるかもしれない。

　一月悶々《もんもん》と悩んで（一月よ！　なんて奥手なの）、あなたに手紙を書いた。とても短い手紙だけど。

　あなたのシャープペンシル預かっています。どうしましょう？

　するとあなたから、すぐに返事が来た。

『大事な品です。取りに行きます。』

　ホントに？　ねえ、ホントに？　わたしはまたあなたに会えるの？

あなたから初めての手紙をもらった夜は全然眠れなかった。だけどわたしはこう書いた。

『いまは、寮に入っています。実家に帰った時に連絡します。』

それまでには、この中途半端な長さの髪も肩にかかるほどになっていると思う。

初めて買ったバレッタで髪をとめ、あなたに会うの。

それから、この銀縁メガネもやめて、コンタクトレンズを買いに行こう。


夏休みの九月七日にあなたと再会を果たすまで、わたしは毎日鏡と格闘した。ピーチピンクの口紅とアプリコットオレンジの口紅のどちらがわたしに似合うのかよくわからなかったし、バレッタを買ったのはいいけれど、伸びた私の髪は直毛すぎて、耳の上の髪を後ろでとめようにも、横にパサパサと戻ってくるし、ピンの使い方なんて知らなかったから、鏡の前で何度も不機嫌になった。

とにかく、九月七日。

着ていく洋服は杏《あんず》色のワンピースに決めた。それからハイビスカスのトートバッグに、あなたのシャープペンシルを忘れずに入れて。

わたしたちは互いの家の中間地点にある駅のコンコースで待ち合わせた。

約束の三十分前に着いたので、駅の洗面所でもう一度鏡をチェックする。最後まで口紅の色に悩んだ。

ピーチピンクのほうが私の肌色に合っている気がするけど、ワンピースにはアプリコットオレンジのほうが色として合っていると思う。でもいまの流行を考えて、アーモンドベージュのようなヌーディーな色もいい感じだし……。

洗面所は混んでいて、鏡を占領しているわたしは、誰かが洗面台を使うたび、口紅三本とバッグを持って端に移動し、いなくなったら再び鏡の前に立った。

ふう、とため息をつくと、隣で化粧直しをしていた五十代くらいの女性が横目でちらりとわたしを見た。思わず、どれが一番わたしに似合うと思います？　と訊《たず》ねそうになったけれど、心臓が鳴りすぎて、最初の「どれが」が出ない。

女性は声の出ないわたしと目を合わせたまま、「どれでもいいじゃない」と言った。

「あなたかわいいんだから」

そう言って、彼女は化粧ポーチをバッグに入れて、パチンと閉めた。

「あ、ありがとうございます」

「自信を持って」

彼女は手のひらを振って、出て行った。

わたしはもう一度息を吐いた。

どこのどなた様か知らないけれど、わたしのことをかわいいと言ってくださってありがとう。わたしは鏡の中の自分を見つめて、自信を持って、と呟いた。

わたしは唇をきゅっと結び、それからゆっくりと開いて、アプリコットオレンジの口紅を塗った。


コンコースで十分ほど待っているとあなたの姿が見えた。胸が鳴る。

ああ、全然変わってない。ほら、あの歩き方も同じ。でも制服じゃない、トレーニングウェアでもないあなたを見るのは初めてだった。あなたは半袖のシャツに薄いベージュのコットンパンツを合わせていた。

目が合って、あなたはわたしに駆け寄る。

「こんにちは、お久しぶり」

わたしの声は1オクターブ高かったかもしれない。

「うん、ほんとに久しぶりだよね」

半年ぶりの半径1メートル。ほんの少し、あなたが緊張しているのがわかる。だけどこの空気感はあの頃と変わらない。あらためてここがわたしの居場所だと感じる。

「そう、あの、シャープペンシルよね？」

わたしは慌ててバッグからペンシルを入れた緑色の封筒を取り出し、あなたに手渡した。

「ごめんなさい、長い間」

「いいよ。僕の不注意だし」

あなたは言った。

「それに、こうやって今は僕の手に戻ってきたし」

「大事なシャープペンシルなのよね？」

「うん、伯母さんからの誕生日プレゼントだったんだ。生まれて初めて買ってもらったシャープペンシル」

あなたはペンシルを光にすかして、嬉しそうにわたしに向いた。

「どうもありがとう」

「いいえ、どういたしまして」

用事はここですっかり終わってしまった。でもわたしはあなたの半径1メートルからまだ離れたくなかった。わたしは俯《うつむ》いたまま、あなたの左隣であなたの次の言葉を待っていた。ええと、とあなたは言った。わたしはあなたを見上げた。

「喉が渇かない？」

わたしはこくこくと頷《うなず》いた。うんうん。

「なんだか暑いよね」

うんうん。

「じゃあ、冷たいものでも飲みに行こうよ」

あなたの後ろをさっき洗面所で一緒になったおばさんが通った。おばさんがわたしに向けて笑顔を送る。わたしは照れ笑いをおばさんに返した。

2

わたしたちの記念すべき初めてのデートは、その駅のすぐ向かいにある喫茶店だった。そのお店にわたしたちは五時間いた。すごい。

わたしたちは北校舎の教室でないところで、五十分ごとの休憩時間もなく、五時間もの間、半径1メートルの時間を過ごした。すごい。

あなたはその日、皇帝ペンギンの子育てについて話してくれた。どうしてその話になったかというと、その日は九月にしては猛暑で、地球の温暖化の話になって、だったら北極とか南極はどうなっちゃうのかな、という話になって、北極グマなら動物園で見たことがあるけどこの暑さではバテてるわねとわたしが話すと、皇帝ペンギンが僕は好きなんだ、とあなたが話したことから始まったのだ。

「キングペンギンって聞いたことあるけど、皇帝ペンギンのこと？」

「ちがうよ、似てるけどね。南極大陸本土で繁殖するのは皇帝ペンギンとアデリーペンギンの二種だけなんだ。キングペンギンやジェンツーペンギン、イワトビペンギンなんかは南極大陸周辺の海域で繁殖してるんだよ」

「そうなんだ」

「四月になると、皇帝ペンギンは子育ての場所を探して１００キロの移動を始めるんだ。メスは卵を一個だけ産むと元の場所に帰っていく。オスがそのあとを引き受けるんだ」

「引き受けるって？」

「卵を温めるんだよ」

「オスが？」

「そうだよ。卵は氷の上では生きていけないから、オスは自分の足の上に卵をのせて温めるんだ」

「あ、その光景は図鑑で見たことあるような気がするわ。あれってオスの姿だったのね」

「うん。でね、その間オスは餌《えさ》を取りに行けないんだよね。つまり食べられない。だから卵を温めている間に体重が半分くらいに落ちることだってあるんだよ」

「すごい。忍耐強いのね。メスはなにも協力しないの？」

「卵がかえる七月頃になると、メスは雛《ひな》に餌を与えに戻ってくるんだ」

「そこから家族が始まるのね」

「その頃には広い範囲でペンギンの番《つが》いだらけだよ」

「足の上ってあったかいのかしら？」

「温かいよ。ヒナは生後八週目まで親鳥の足の上で過ごすんだ。あったかくて安心だよ。写真で見る限り、ヒナは安心しきった顔で親鳥の足の上にいる」

「かわいい」

あなたはジンジャエールを、わたしはアイスコーヒーを注文したきり、あっという間に五時間は過ぎた。そして、日が暮れて帰る時間になってしまった。

わたしたちは一緒に駅に向かい、切符を買った。一緒に改札を抜け、ホームに降りた。五分後にあなたの列車が、その二分後にわたしの列車が来る。

皇帝ペンギンの子育てや巣立ち方は面白かったけれど、それよりももっと、あなたの楽しそうに話す姿が嬉しかった。あなたの姿を一秒一秒胸に詰め込んだ。これから先何十年経《た》っても今日のあなたを寸分違《たが》わず思い出せるように。笑う時の目の下の小さなシワや、ふと話をとめて真顔でわたしを見る瞳《ひとみ》の色まで。

「榎田さんを見送ってから帰るよ」

「わたしも、もう一本ぐらいは大丈夫だから」

まだ離れたくない。

これきりになってしまうのはいや。

だけどちゃんと列車はホームにやって来た。

「次はいつ会える?」

わたしは乗客の波に呑《の》まれて列車に乗り込む。

「またわたし、寮に戻っちゃうの」

発車のベルが鳴る。わたしは大声であなたに言う。

「だから――」

また手紙を書きます！

ドアが閉まった。

ねえ、ちゃんと聞こえた？

寮に戻る頃には夏はすっかり終わっていた。

九月七日には聞こえた蟬《せみ》の鳴き声の代わりに、風に揺れる木々が秋の訪れを知らせていた。

寮は幸い一人部屋で、お風呂とトイレが共同だった。毎朝食堂で朝食をいただくより先に寮全体の掃除時間がある。朝起きて、身支度を済ませたら、まず掃除。

秋穂　巧《たくみ》さま
清掃活動はたしかに大事だと思います。
キレイな場所で精神も磨かれる……それは確かにありえそうだけど、掃除って
やっぱりしたい時にしたいものだと思わない？
そのあと一斉に食堂で朝食です。寮生一〇〇人が一同に手を合わせて「いただき
ます」。壮観です。ところが意外と掃除のあとの食事っておいしいのよね。寮に入
らなかったら、知らなかった種類のおいしさだったかも。
巧くんの陸上はどうですか？

榎田さんへ
手紙をありがとう。
すごいね、女の子の寮ってきっとすごくきれいなんだろうね。
男の僕には目覚めから掃除って、ちょっと想像できないけど。

ゴハンがおいしいってのは、なんかわかる気がしました。

こちらは高校の時と違って、もっと先輩後輩の関係が厳しいです。

練習も厳しいよ。

でも自分の納得できる走りがしたいから、頑張ります。

応援よろしくね。

秋穂　巧さま
頑張ってるのね。えらいなぁ。

あの頃、放課後校庭を走る巧くんを見ていたら、いつもわたしも頑張らなきゃって思ってたの。また巧くんの走っている姿が見たいな。もし、試合とかあったら知らせてね。応援に駆けつけるから。

ところでどうして最初に走ろうって思ったの？　そのきっかけは？

よかったら教えてくださいね。

榎田さんへ
ありがと、応援うれしいよ。

手紙をもらって、僕にとって走る、ってなんだろうなあ、と考えてみました。

僕は毎日運動場のトラック400メートルをくるくる、くるくる回っています。

これって楽しいのかそうじゃないか、と聞かれると、楽しいってことはないんだ。でもとても面白く感じてる。すごく普遍的な行為だよね。惑星も電子も、みんなそうやって回ってるんだから。

僕はもともとこの変わりない行為が好きなのだと思う。

いまはタイムに追われているし、自分の限界を知りたいという好奇心もある。けど、もしいつかそういうことから解き放たれたら、僕は惑星や電子のように、それが生きている上の当たり前のことのように、ひたすらに走ってみたい、と思う。

質問の答えになったかかな？（え？　なってないって？）

秋穂　巧さま
最近やっと涼しくなってきましたね。

お手紙読みました。巧くんにとって、走るってとても大切なことなんでしょうね。当たり前のように大切なことって、あるな、と思いました。こうやって普通に呼吸してるけど、この普遍的な行為って生きる上でどうしようもなく大事なことだものね。

でも、世の中には自分にとって大切なものが時とともに移り変わることも珍しくないよね。

友情も恋愛もどんどん手軽になって相手を変えていくし、わたし自身あんなに好きでこれさえあればどこに行っても生きていけると思っていたチロリンチョコを最近あまり食べたいと思わなくなってきました。

好きな小説家も移り変わるし、十年習ってたピアノも受験の時にやめてしまったし。

巧くんのように普遍的なことを普遍的なことだと意識しながら続けられるのってすごいと思う。普遍的なことは普遍的だと意識されないから惑星も電子も回り続けるのじゃないのかな。よくわからないけど。

秋の夜長に考えてしまいました。とにかく、巧くんは素敵、ということなんだけど。

榎田さんへ

気温が下がると陸上の練習も少し楽になってきました。

やっぱ炎天下はキツかったー。

「素敵」とか言われると照れちゃうよ。でもありがとう。

なんていうか、僕は変わりゆくものと、絶対に変わらないものと両方あると思うんだ。

変わらないものは、変わらないことに関していうと絶対的で、とにかく変わりようがないんだ。そのものが持つ意思と関係なくね。

そういうのって確実にあると思ってるよ。人の心にも。

心の中っていうか。あるよ、きっと。

秋穂　巧さま

うん、巧くん、そんな気がしてきた!

きっとそうだよね。

わたしの気持ちもきっとそうだと思う。変わりっこないもの。

すごいよ、嬉しい。

そうそう、聞いて。寮のお風呂は共同で、毎回六人ずつ班ごとに入るんだけど(入学当初は裸のおつきあいって抵抗ありまくり! 今はだいぶ慣れたけど……)、今日ね、一緒にお風呂に入った友だちに「澪、痩《や》せてキレイになったんじゃない？」って言われたの。
なんとなく、巧くんと九月七日に会ってからいい感じ、な気がします（照）。

榎田さんへ
榎田さんの気持ちってなんだろう？
よかったらまた教えてね。
お風呂の話は、僕も、照れます（ナゼか聞かないように！）。
とにかくスバラシイってことだ。なによりなにより（照）。

わたしたちが二度目のデートを果たしたのは、年が明けて最初の月曜日だった。
蟬の泣き声から季節を超えて、厚みのある白い空の下でわたしたちは会った。といっても待ち合わせ場所は夏の終わりと同じ、駅のコンコースなのだけど。

今度はあなたが先に待ち合わせ場所にいて、本を読んでいた。少しの間、わたしはあなたがJRのお知らせポスターの前で立ったまま読書している姿を眺めた。

高校生の頃もあなたはよく休憩時間に読書をしていた。

何を読んでいたのかな。

あなたが瞬《まばた》きもせず読んでいた本に、少しだけ妬《や》いていた気がする。

「秋穂くん」

わたしは声をかけた。あなたはわたしに視線を合わせると、瞳を潤ませて鼻をすすった。

「泣いてるの？」

わたしは驚いて訊《き》いた。あなたはこくんと頷いた。

「なにが悲しいの？」

あなたが無言のまま本の表紙を掲げわたしに見せた。『タイタンの妖女』というタイトルで、表紙は首輪で繋《つな》がれた犬の骨の絵だった。かわいいテリア犬が飼い主と離れ離れになって会うことも叶《かな》わないまま、死んでしまうストーリーなのだと、すぐに察した。

「あなたは優しいひとね」

「え？　なに？」

「ううん、なんでも」

わたしは微笑《ほほえ》んでみせた。それからずっと後になって、その本を借りてびっくりしたけど。

わたしたちは九月に入ったのと同じ喫茶店に入った。

とても幸せな月曜日の午後。


この日以来、わたしにとって月曜日は特別になる。

これよりずっと後のことだけれど、結婚式も月曜日にしたし、婚姻届を役所に提出したのも月曜日。大事なことは月曜に！　この年初めての月曜以来、これがわたしの密《ひそ》かなスローガンとなった。佑司が生まれたのも月曜日。なんてすばらしいの。

喫茶店に入って、あなたはすぐにこう言った。

「そのモヘアのセーター、似合ってるね」

それだけでも素敵なのに、あなたはさらにこう言った。

「もうすぐ誕生日だよね」

「ええ」

ドキドキした。なんとなく、手に持っていた大きな紙袋が気になってはいたの。

「これ、誕生日プレゼント」

あなたはノートよりも大きなサイズの包みをテーブルに置いて、わたしのほうに押した。

「すごい」

心に思うつもりが、本当に声に出してしまっていた。だって男の人にこんなふうにプレゼントをもらうのは初めてだったから。

包みを開けてみるとプラスチックのフレームだった。中には女の子の後ろ姿のイラストが入っている。肩までのストレートヘアとスカートにサンダル。

「これ、わたし？」

「そう、榎田さん」

「秋穂くんが描いたの？」

「そう、僕が描いた」

男の人からプレゼントをもらったのも初めてだったけど、好きな人がわたしの絵を描いてくれるなんて経験も初めてだった。

「嬉しい……」

「よかった」

「信じられない。すごく嬉しい。こんなことがあるなんて。すごい。嬉しい」

「喜んでもらえてよかったよ」

「嬉しい！　大事にする！　ありがとう！　ありがとう！」

「そ、そんなに喜んでもらえて、僕も嬉しいよ」

注文していたダージリンティーとココアが来た。

抱きしめていたらココアが飲めないよ、榎田さん、とあなたが言うまで、あなたが描いたわたしの絵を胸に抱いていた。プラスチックフレームは体温があるみたいに温かくて、あなたは気のせいだと笑うかもしれないけれど、微《かす》かにバニラの香りがした。


「ね、榎田さん」

わたしはココアのカップをテーブルに置いた。

「はい」

「なんていうか、密かに気になっていたんだけど」

「はい？」

「榎田さんの変わらない気持ちって、なに？」

「え……」

「ほら、手紙にあったじゃない。人の心にも絶対的に変わらないものがあるよって僕が書いたら、榎田さんはこの気持ちも変わりっこない、って手紙くれたよね。それってなんだろなあ、って気になってたんだ」

「はい、えっと……」

「あ、もし嫌なら言わなくていいんだけど……」

「あ、ううん、嫌じゃないわ」

「そう?」

わたしは頷いた。

あのね、とわたしは言った。だけどそれきり口ごもってしまった。

「榎田さん?」

わたしは息を吐いた。

「わたし、秋穂くんのこと」

「うん」

「……」

好きです。

「だから、秋穂くんの手紙が嬉しかった。変わらないものがあるって、嬉しかったの。ずっと秋穂くんのこと、好きでいていいよって言ってもらえた気がしちゃって。秋穂くんが、わたしのことを好きになってくれても、くれなくても」

あ、だめ。涙が出てきた。

泣いちゃだめ。秋穂くんがびっくりする。

わたしは慌てて、目頭を押さえながら言った。

「勢いで言っちゃったけど、あの、気にしないで」

「あ、いや」

あなたは言った。とても緊張した顔で。

「ありがとう。すごく、嬉しいよ」

わたしはあなたの言葉をゆっくりと飲み込んで、それからふふ、と笑った。あなたもつられて笑った。あなたはもう一度言った。

ありがとう、榎田さん。嬉しいよ。

わたしも答える。

よかった。

喜んでもらえて。

わたしたちは少しだけ近づいて、少しだけ気持ちを触れ合わせた。

羽がふわりと肌に触れるようなささやかなものだけれど、そのときのわたしたちには精一杯だったし、十分だった。

秋穂　巧さま
こちらはさっきから雪が降り始めました。

そちらはいかがですか?

今頃もきっと陸上の練習でしょうね。

この間はプレゼントをありがとう。寮のわたしの部屋に飾っています。

今手紙を書いている、この机の上です。見るたびにこれがわたし、って思うとどきどきします。あなたがわたしのことを考えて描いてくれたって思うだけでどきどきします。

絵を描くの、上手なのね。写真みたいに描けてるもの。

本当にありがとう。

寒い日が続くようです。あったかくして、無理しないでね。

榎田さんへ
ほめてくれてありがとう。

僕の絵を喜んでくれてありがとう。

あの帰り道、マフラーを巻いて、コートのポケットに両手を突っ込んで、それくらい寒いのに、すごくあたたかい気持ちでいました。

榎田さんから手紙をもらっても、今こうやってきみに手紙を書いていても、あたたかい気持ちになるよ。

練習も頑張れそうです。ありがとう。

次は春に会えるよね。今から楽しみだよ。

わたしはあなたからの手紙を胸に抱く。
胸にあるものが初めて実感する幸せの形なのだと思う。
あたたかい。
あなたの声が聴こえる。
抱きしめてたら、ココアが飲めないよ、榎田さん。

榎田さんへ
春に会おうと約束していたけど、ごめん。
ちょっとこちらの都合で会えそうにないよ。
夏には会えると思う。
その頃には。

ごめん。

秋穂　巧さま
うん、了解しました。
忙しくしてるのかな。
夏に会えるのを楽しみにしています。
練習、頑張りすぎないでね。

あなたから手紙が届く間隔がだんだんと広がっていく。
言葉は少なく、要領を得ない内容の手紙が増える。
寮から見える遠くの山々が新緑に輝くのを眺めながら、胸に広がる不安を自覚する。これはなんだろう？　経験したことのない不安。だけどあなたは夏に会おうと言っている。会えば、安心できるはず。きっと今、陸上で忙しいのだ。走ることを求めてやまないあなたのことだから、きっとこうしている今も走っているに違いない。

「巧くん……」

空は遠くの惑星まで見えそうなくらい透き通って青かった。なのに、どうしてこんなにざわざわと落ち着かないのだろう。

「巧くん……」

なにかあった？

夏休みになって、やっとわたしたちは再会した。半年ぶりのことだった。

いつもの駅でわたしたちは待ち合わせた。といってもいつものコンコース内ではなくて、駅前のロータリーで待ち合わせ。あなたは125ccのスクーターで迎えに来てくれた。

薄いグリーンのスクーター。あなたはわたしに白いヘルメットを手渡して、タンデムシートに乗せた。わたしはスクーターに乗るのは初めてだったから、上半身があまりに不安定で、あなたに必死でしがみついていた気がする。スクーターの振動が体に響くのも初めての経験だったからちょっと怖かったし、腕や肩に風を受ける音をヘルメットの中で聴くのも初めてだった。

だけど目の前にあなたの背中がある、それだけで心強かった。とても心強かった。だからスクーターに乗っている間は、あなたにしがみついてばかりで、あなたの体温に気付かなかった。あなたの気持ちに。

あなたが向かったのは近くの運動公園だった。

公園内にある大きなスタジアムの階段にわたしたちは並んで座った。階段に人はほとんどいなくて、ペットボトルを握った人がちらほらとランニングの休憩に利用していた。

「ここって、巧くんが去年の夏に走ったグラウンドだよね」

わたしは腕を広げて言った。

あなたの目はグラウンドを見つめたまま、うんと頷く。

「見たかったなぁ、カッコよかったでしょうね」

あなたは小さな声で、そんなことないよ、と言った。

去年の夏の終わりに再会した時も、今年の一月に会った時も、わたしが話すよりあなたが話すほうが先だったし、言葉も多かった。

「巧くん……？」

どうしたの？

あなたは返事をするようにため息をついた。それから腕時計を見る。

「あ、練習あるの？　今日も忙しいのかな」

わたしはできるだけ自然な感じで尋ねてみた。

あなたはしばらくグラウンドを眩《まぶ》しそうに眺めて、いや、べつにいいよ、と言った。

わたしは立ち上がり、階段を二、三段下りて、グラウンドに下りてみようよ、とあなたに声をかけた。

「巧くんと走ってみたいな」

「……今日、きみサンダルじゃない」

「だからちょっとだけ。巧くんと走るのって、ずっと憧《あこが》れてたもの」

あなたは黙っていた。息苦しい沈黙だった。

「巧くん……？」

あなたはまたため息をついた。

そしてそのまま自分の足元を見ている。

わたしはあなたより三段下のところから、あなたを見上げていた。どうしていいのか、わからなかった。

帰ろうか、とあなたが言った。

わたしは頷くしかなかった。


あなたはわたしをもう一度スクーターに乗せて、駅に向かった。

わたしもあなたも一言も言葉を交わさなかった。赤信号で停止しても、わたしはあなたにしがみついていた。ただ、あなたにしがみついていた。こんなに近くにいるのに、あなたの背中は遠く、ひんやりとしていた。

駅に着くと、わたしはあなたのスクーターから降り、ヘルメットを脱いであなたに返した。あなたはエンジンを切って、それを受け取ると腕にかけ、そしてわたしを見つめた。

あなたの瞳の奥が悲しみに満ちている。そう思った。

「今度はいつ会えるの？」

「……わからない」

あなたは言った。

「忙しいんだ。いろいろ」

「そう……？」

あなたはわたしから目をそらした。あなたは俯いたまま答えた。

「うん」

「巧くん……」

唇が震える。わたしはあなたに何を言えばいいんだろう。

「手紙を」

蟬が鳴く。わたしの声がいっそう小さく響く。

「……書くね」


あの時あなたは、待っているよ、と言った。

わたしは学校の出来事や、勉強のこと、寮生活のことを手紙にして送った。できるだけ明るく、気軽な感じで。

あなたからの返事は一週間後が二週間後となり、一月後になっていった。少しずつ、言葉も減り、あなたの心が霞《かす》んで見えなくなっていった。

冬休みが始まり、帰省したけれど、あなたには会えなかった。

しばらくして寮にあなたから手紙が届いた。とても短い文面だった。

榎田さんへ
のっぴきならない事情により、これから先きみへの手紙を書くことができなくなりそうです。また、いつか会えるといいね。同窓会とかさ。お互い結婚していたりしてね。
幸せになって欲しいな。榎田さんにはずいぶんお世話になったから。
さよなら。元気で。

あなたの手紙を胸に抱くと、体がひんやりと冷えた。
そのまま部屋の床に座りこむと、涙が出た。
わたしは生まれて初めて、恋する人を想って泣いた。
涙はとめどなく溢《あふ》れて、収拾がつかなかった。
しゃくりあげる胸を抑えることもできなかった。

あなたの走る姿。あなたの影をつくる夕日の反射した赤い空。
熱心に本を読む横顔。かすかに動く睫毛《まつげ》。
机に突っ伏して、肩に隠れて見えるあなたの寝顔。
あなたの字。きみの隣はいごこちがよかったです。
あなたの絵。わたしの後ろ姿。丁寧に描かれたわたしの肩までの髪。
笑う時の目の下の小さなシワ。
深い瞳の色。
あなたは言った。ありがとう。すごく、嬉しいよ。

涙がとまらなかった。

3

近所の小川で泳ぐアヒルの親子や、小道で見つけたタンポポ、いとこのお姉ちゃんに赤ちゃんができた話なんかを、時々あなたに手紙にして送った。

一週間前には偶然うまく描けたあなたの顔のラクガキを同封した。うまく描けたでしょ。もちろん、あなたにはかなわないけど。

あなたからの返事は来なかった。

季節は巡って、また暑い季節が来た。うんざりするほどの青い空を見上げて、わたしはあなたを思った。

あなたはこの空の向こうで、400メートルのトラックを何周もしているのかな。

「わたしに手紙が来てませんか？」

わたしは寮母さんの部屋を訪ねた。

手紙は一旦《いったん》寮母さんが受け取り、それから各部屋のポストに入れてくれる。わたしは寮母室を訪ねるたびに、同じ質問をした。

「来ていたら、ちゃんとポストに入れておくから」

初老の寮母さんは根気よく同じ答えを返してくれる。

「もうすぐ夏休みだから、今度は実家に届くんじゃない？」

わたしは黙ったまま首を横に振った。

寮母さんはため息をついて、言った。

「入んなさい。麦茶をいれてあげる」

わたしはドアを閉めて、スリッパを脱ぎ、寮母室の畳の部屋に入った。茶卓につくと、寮母さんが麦茶の入った花模様のガラスの器をわたしに手渡した。

「ありがとうございます」

お茶を口につけると、香ばしさが口の中に広がった。寮母さんのいれてくれる麦茶は、わたしの知っている麦茶よりも香ばしい気がした。

「あたしにもそんなことがあったわぁ」

「え？」

「いやね、若い頃よ。ずうっと昔の話。死んだ夫とね、結婚する前は文通してたから」

「そうなんですか？」

「あたしたちの時代はろくに電話もない頃だったから。でも今はいろいろあるじゃない？　あなたみたいに今でも手紙を待っているなんて、珍しいんじゃないの？携帯とかも、持ってるんでしょ？」

「はい、一応わたしは……。でも彼のほうは持ってなくて」

「珍しいわね」

寮母さんが高い声で笑った。

「わたしも手紙のほうがいいんです。電話より忙しい彼にかかる負担が少ないと思うし。楽しい……楽しかったから」

「そうね。手紙はいいわよ。言葉につづられる気持ちって美しいわよ。書きながら自分の気持ちを理解できるし、文章から相手の気持ちも察することができる。ほどよい距離を保ちながらね」

「はい」

「あなたは奥ゆかしいひとね」

「どうなのかな……」

わたしは薄笑いを顔に浮かべた。

「だけど、相手から返事が来ないんでしょ？」

核心をつかれて胸がツキンと痛む。

「……はい」

「会いに行きなさいよ」

「え？」

わたしは顔を上げた。寮母さんはまっすぐわたしの顔を見て、力強く言った。

「忙しい彼に負担だなんて、そんなこと考えて来ない手紙を待ってもしょうがないわよ。彼のこと、失いたくないんでしょ？」

「はい、でも……」

「失いたくないのね？」

「はい」

わたしは言った。鼻がつうんとする。

「ぜったい、失いたくない。大切なひとです」

「じゃあ、直接会ってらっしゃい。ちゃんと目を見て、話し合うのよ。怖がっちゃだめ」

寮母さんはそう言いながらわたしにハンカチを渡した。

「あたしも会いに行ったわよ。夜行に乗ってね。トンネルのオレンジ色の電球が流れていくのを眺めながら、もうちょっとであの人に会える、もうちょっとであの人に会える、って自分に言い聞かせてね。そりゃあドキドキした。だけどここってところで、女は度胸出さなきゃ」

そう言って寮母さんはにっこりと笑った。

「だって、照れくさいけど、愛してるんだもんね」

わたしも泣きながら笑った。

うん、愛してる。

巧くん、会いに行ってもいいですか?


あなたのスクーターに乗せてもらって行った運動公園に、バスを乗り継いで向かった。

あなたはわたしと最初に再会する少し前に、このスタジアムのトラックで伝統ある対抗戦の大会記録をつくった、と話したことがあった。

今日からまたここで陸上の大会が行われる。

きっとあなたもここにいる。

去年の夏、あなたと来た時とは違って、会場の外も人で溢れかえっていた。駐車場には大型バスが何台も並んで駐車してあり、ドアの部分に市名の入った乗用車も多かった。

大会名の書かれたたくさんの幟《のぼり》が、そこら中に立てかけられていた。

ランニング姿やジャージ姿の学生が大勢いて、スタジアムを囲んだシートには多くの観客と選手たちが座っていた。アナウンスがひっきりなしにかかっている。あなたはどこにいるんだろう？　わたしはあなたの姿を探す。

去年と同じ、耳を圧迫する蟬の声。

あなたの声を思い出す。

帰ろうか。

わたしはあなたを探す。

首を横に振る。

シートの間を歩き、上のほうからスタジアムを見下ろして探し、アナウンスに耳を傾ける。あなたの姿が見えない。

オレンジ色のジャージが目にとまった。

あなたの大学名がアルファベットでプリントしてあるジャージだ。

「あ、あの、すみません」

男子学生がわたしに振り返った。

「あの、秋穂くん、いますか？」

「秋穂？　秋穂巧のこと？」

彼は首にかけてあるタオルで鼻を拭《ぬぐ》った。

「はい」

「あいつなら、辞めましたよ」

「え？　陸上を？」

「陸上もだけど、学校も。この春だったかな」

心臓が変な音をたてた。

「なにやってんの？　行くぞ」

同じ色のジャージ姿の学生が言った。

「あいつ辞めたの、春だったよなぁ？」

「あいつって？」

「秋穂だよ」

「あ、秋穂、来てたよ、さっき」

「え？」

わたしは彼に詰め寄る。

「来てたって、巧くんが？」

「そうそう、やっぱ気になるんだろうな。あいつすげえ青い顔して。声かけたら何も言わずに出て行ったよ」

「いつのことですか？」

「ついさっきだよ」

咄嗟《とっさ》にわたしは出口に向かって走った。

出口を出て、人と人の間を走り抜ける。歩道に出てもあなたは見えなかった。

一台のバスがわたしを追い越した。

「巧くん……？」

バスの窓にあなたがいた。

「巧くん！」

バスに向かって走る。

「巧くん！」

僕は毎日運動場のトラック400メートルをくるくる、くるくる回っています。これって楽しいのかそうじゃないか、と聞かれると、楽しいってことはないんだ。でもとても面白く感じてる。すごく普遍的な行為だよね。惑星も電子も、みんなそうやって回ってるんだから。

僕はもともとこの変わりない行為が好きなのだと思う。

いまはタイムに追われているし、自分の限界を知りたいという好奇心もある。けど、もしいつかそういうことから解き放たれたら、僕は惑星や電子のように、それが生きている上の当たり前のことのように、ひたすらに走ってみたい、と思う。

激しいブレーキ音が響いた。

強い衝撃にはね飛ばされて、ほんの少し、青い空が近くなった。

巧くん——

4

眠っている間にわたしを通り過ぎていく夢は、なにを物語っているのだろう。

目が覚めると、白い天井と蛍光灯が見えた。

いつものことだけど、目が覚めた瞬間、見ていた夢の内容を忘れてしまう。思い出そうとすればするほど、意識そのものが薄らいでいく気がする。

だけど胸の内は温かくて、よくはわからないけれど、いま見ていた夢の中でわたしは確かに幸せだった。

「澪、目を覚ましたの？」

蛍光灯から視線を左に動かす。

お母さん？

「もう、この子ったら、ほんとにもう……」

母はハンカチを握ったままベッドにしがみついてきた。

「痛いところはない？　もうすぐお父さんも来るからね」

わたし、どうしたの？

「車にはねられたのよ。頭のCTを撮ったけど、問題はないそうよ。体も打ち身で済んでるし、しばらくしたら目を覚ますだろうって、先生がおっしゃってね。とても運が良かったって、おっしゃってたわ」

……！

「お願いだからびっくりさせないで」

お母さん。

「なに？」

わたし、夢のなかで、ママだったわ。

「え？　なに？　よく聞こえないわ」

わたし、夢の中で、あのひとと結婚していたの。

「なぁに？　聞こえないわ。澪？」

佑司という息子がいたの……イングランドの王子さま。

「澪？」

わたしたちの、王子さま。


白いカーテンを開けた。太陽がなんて眩しい。

陽《ひ》に反射して、すべてのものが光って見える。

「先生と看護師さんへの挨拶も終わったし、さあ、行くわよ。お父さん、澪の荷物を持ってあげてね」

「お母さん」

「なに？　忘れ物ならないわよ。お母さん、ベッドの下までちゃんとチェックしたから」

「違うの。今日、何日？」

「今日？」

「うん」

「十日よ。八月十日。どうしたの？」

「お母さん、お父さん」

両親がわたしを見つめる。

「ちょっと、ロビーの公衆電話から電話をかけたいんだけど」

二人は顔を見合わせた。

「電話なら家からかければいいじゃないか」

父が言った。

「今すぐかけたいの」

「なぁに？　急ぐのね。じゃあ、わたしたちは駐車場に先に行って、正面玄関にまた迎えに来てあげる。いってらっしゃい」

「ありがとう」

わたしは一足先に病室を出て、ナースステーションの前を会釈しながら通り過ぎ、階段を下りた。ロビーは外来患者でいっぱいだった。わたしは公衆電話にコインを入れてプッシュした。この電話線がつなぐ先はあなたの家だった。

「あの、わたし、榎田澪といいます。巧くんいらっしゃいますか？」

巧は旅に出ています、とあなたのお母さんは言った。

わたしは目を閉じた。

胸が震える。

もう迷わない。

「巧くんに、伝言をお願いします」


話したいことがあるので電話をください。いつまでも待っています。

家へ向かう道すがら、わたしは父の運転する車のバックシートから外を眺める。

瞬きをするたびに、世界が小さく揺らめく。

わたしの体の内側から、今まで味わったことのない感情が溢れだしているのがわかる。あなたを強く求めている。

あなたが愛しい。

愛しくて、しかたがない。


「巧くん？」

電話が鳴るより早く、わたしは受話器を取った。

「そう、僕だよ」

あなたの声が耳に響く。懐かしい、あたたかい声。

「待っていたの？　すぐに出たね」

「うん、かならず電話してくれるって思っていたから」

「そう？」

「ええ」

それから1テンポ置いて、あなたは訊いた。

「なにがあったの？　急に連絡してくるなんて」

「巧くん」

「なに？」

「いま、どこにいるの？」

「旅の途中だよ。きみの街から300キロぐらい離れた場所にいる」

「ねえ」

「うん」

「会いに行ってもいい？」

電話の向こうから返ってきたのは沈黙だった。あなたらしい清らかな沈黙だった。

わたしはできるだけ小さな声であなたの沈黙を遮った。

もしもし？

「うん」

「どこに行っちゃってたの？」

「ここにいるよ。電話ボックスの中で受話器を握りしめてる」

「だったら、答えて？」

「うん、びっくりした」

「びっくりして、それから？」

あなたは答える。

嬉しいよ、すごく。でも——

わたしはあなたに伝える。

「大丈夫よ」

「大丈夫？」

「そう、大丈夫」

「大丈夫なの？」

「ええ」

二日後、わたしはわたしの街から300キロ離れた町に向かって列車に乗った。わたしたちは駅前のロータリーで待ち合わせた。列車があなたのいる駅に近づいてゆくほど乗客が増え、ゴール地点に着く前にはすでに列車の中は飽和状態だった。酸素が薄くなってそうな車内だったけれど、乗客の顔はみんな楽しそうだった。

窓の外は夕暮れが近づいて、薄暗い。遠くの山の向こうの空だけが、太陽の残照でオレンジ色に染まっていた。

息が止まりそうだった。

わたしはあなたとの出会いからすべてを瞬間的に振り返る。

あまりエアコンの効いていない車内は暑いのに、指先が冷えてわずかに震える。

列車が止まった。

満員列車にまだ乗客が入ろうとしていた。大きなお腹を抱えた女性が夫らしき男性と乗車しているのを見て、わたしは咄嗟に腰を上げた。

「あ、あの」

手すりを握っている乗客が一斉にわたしを見た。わたしは乗客をかき分けて妊婦の彼女のところまで行き、声をかけた。

「あの、席にどうぞ。空《あ》いています」

彼女は手を振った。

「ありがとう。せっかくだけど次で降りるので、いいですよ」

そばに付き添っている夫が言葉を添えた。

「座らせてもらおうよ。この中で立ったままでいるのは大変だよ」

彼女はゆっくりと夫に付き添われて、シートに向かった。そしてわたしの座っていたシートに腰を下ろすと彼女は俯いてお腹を抱いた。

わたしは人と人の間からその姿を確認して、それから窓に向いて外を眺めた。オレンジ色は消えて、静かに夜が近づいていた。わたしの震えも消えていた。あなたを思うと自然と笑みが出る。

さあ、行こう。

あなたが待っている。

待ち合わせのロータリーは人と車で溢れていた。
わたしはあなたを探した。あなたと、薄いグリーンのスクーターを。
浴衣を着ている女の子が多かった。お祭りだ。
巧くん？
あなたはスクーターに横座りしてうなだれていた。
「巧くん」
あなたは顔を上げた。
わたしはあなたに近づいていく。
半径1メートル。
こんなにもわたしを幸せな気持ちにできる場所は、世界中探したってここしかない。
ドンという音が空に響いた。
わたしたちは音のするほうへ顔を向ける。西の空に最初の花火が上がった。

向き直るとあなたはもう空を見ていなかった。

あなたはわたしを見ていた。

嬉しいのと不安とが入り混じったような顔だった。わたしは一瞬あなたが泣き出すのではないかと思った。だけど次の瞬間、あなたは小さく笑った。わたしも笑った。

「会いたかった。ずっと」とわたしは言った。

僕も、とあなたは言った。

「榎田さんに会いたかった」

花火が次々と打ち上げられていく。光よりも少し遅れて音が届く。

駅前にいた誰も彼もが西を見て嬉しそうな顔をしている。素敵な夜だ。

「行こう」

あなたは立ち上がり、わたしにヘルメットを渡した。

二十分ほどでわたしたちは湖畔に着いた。

湖畔を巡る歩道には屋台がたくさん並んで、その前を人々が行き来している。わたしたちは歩道の縁石に座った。

車道の反対側に面した縁石の後ろには金網のフェンスがあり、その向こうには草原が広がっていた。夏なのに風が冷たい。

「寒くない？」

あなたは訊いた。

「うん、平気」

だけど本当はとても寒かった。標高７００メートルのせいかもしれない。あなたはわたしの震えている手を握った。

「冷たい」

「巧くんはあったかいわ」

手のひらからじんわりと温かかった。わたしはあなたに寄り添った。まるで暖をとる猫みたいに。

花火が次々と上がる。

宝石みたいだと思った。

あなたを見上げる。

花火を見るあなたの瞳が反射して光る。

音の振動にわたしの心臓が共鳴する。

「ずっと」

わたしは言った。あなたがわたしを見る。

「そばにいさせて」

「でも――」

わたしはあなたの胸に触れて言葉を遮った。そしてあなたをまっすぐに見つめた。

「大丈夫よ」

わたしたちはしばらくのあいだ見つめ合い、それから、短くキスをした。

5

「最初に気付いたのは下がらない微熱だったんだ」とあなたは言った。

風邪でもないのに37・5度ぐらいの熱がずっと続いた。

でも体調は良かったんだ。1500メートルのタイムはオフシーズンだったのに自己タイムを上回っていた。走っても走っても、まだ走り足りないかのように、肉体は高められていたし、気分も悪くなかった。

「この頃の僕はほとんど食事を摂《と》っていなかった。何も食べなくて平気だった。寝なくても平気だったんだよ」

あなたはタオルで頭を拭《ふ》いたあと、膝《ひざ》の上にタオルごと腕を落としてわたしに微笑んだ。

最後の花火のあと、突然本物の雷鳴が轟《とどろ》いた。すぐには花火との区別がつかないくらい、空が青白く光ったかと思うと、文字どおりバケツをひっくり返したような雨が降り始めた。

観客は走って一斉に線路のあるほうへ向かった。たぶん最寄り駅に向かったのだろう。あるいはバス停や駐車場に。

わたしたちはスクーターに乗り、元の道を国道に沿って走った。そのまま峠を越え、宿泊施設を探したけれど、どこもいっぱいだった。町の一大イベントのあとなのだから、当然と言えば当然だったかもしれない。

あなたはスクーターを走らせ、わたしは精一杯あなたの背中にしがみついた。あなたの体が急速に冷えていくのがわかった。

歩道橋の下であなたはスクーターを停め、ヘルメットを脱いでわたしを振り返った。あなたの背中を離して一旦力を抜くと、唇がかたかたと震えた。寒くてしかたなかった。わたしたちは夕飯も摂っていなかった。

わたしは頰に力を入れ、あなたに微笑んでみせた。

「わたしは大丈夫よ」

首を振って、前髪からしたたる滴を払い落とす。

「行きましょう。前に進むの」

あなたはなにも言わず、わたしを見つめたまま唇をきゅっと結び、頷いた。そしてわたしたちは再び激しい雨の中に飛び出した。


「もう寒くない？」

ベッドの上で、あなたは念を押すように尋ねた。

「ええ、大丈夫。寒くないわ」


それからわたしたちは峠を二つ越えて、ようやく空き部屋のあるホテルを見つけることができた。ホテルにチェックインした時にはふたりともびしょ濡れで唇が紫色になっていて、なにかの映画の死体役に使ってもらえそうだった。

部屋に入るとあなたはヘルメットを置き、わたしを振り返った。

わたしはドアの前で両腕を抱いてがたがたと震えていた。

あなたはわたしをバスルームに促がし、わたしたちはTシャツのまま、シャワーを浴びた。それからあなたはバスタブに栓をしてお湯を張り、その中にわたしを座らせ、手でバスタブのお湯をすくってわたしの肩に繰り返しかけた。わたしはまだ震えていた。

バスタブの外でお湯をかけ続けるあなたに、わたしは震えながら声をかけた。

「たく、み、くん、だい、じょうぶ？」

「大丈夫だよ」

あなたは濡れたTシャツを脱いで、またわたしの肩にお湯をかけた。

バスルームの中が湯気でしだいに暖まる。

「巧、くん……」

「うん？」

「あなたが好きよ……」

あなたらしい沈黙があった。

わたしはもう、あなたの沈黙を遮ることをしなかった。

あなたはわたしの肩にお湯をかけながら、とても静かに、ありがとう、と言った。

わたしはあなたの言葉に、震えながらだけど、微笑むことができた。


ホテルに備え付けの浴衣に着替えて部屋に出ると、あなたも浴衣を着てベッドの上で頭を拭いていた。

わたしは慣れない浴衣に少し照れながら、あなたの横に座った。

部屋はツインルームで、ベッドは二つあったけれど、わたしはあなたの半径1メートルから離れたくなかった。


「ほとんど食べずに、ほとんど寝ることなく、グラウンドを僕は走った。走って走って走りまくった。そうしていたらさ」

わたしは黙ってあなたの言葉を聞いていた。

「僕はあっさりと壊れた。当然だろうけどね」

いつものように400メートルのトラックを僕は走っていた。

急に酸素が薄くなったと思った。

呼吸ができなくなったんだ。突然にね。

倒れ込んで、のたうち回った。息が吸えないんだよ。声も出なかった。死ぬと思ったよ。本当に。体中の筋肉を司《つかさど》る神経がびりびりと音を立てたのを聞いた気がした。それは死ぬための肉体の準備のようで、僕は呼吸できずに喘《あえ》ぎながら、心は恐怖でいっぱいだった。

みんなが慌てて救急車を呼んだ。ところが病院に着くと僕の呼吸困難はどこかに去っていた。僕にあったのは恐怖の残骸《ざんがい》だけだった。

その時は肺炎だか気管支炎だかの診断を受け、やたら沢山の薬をもらって帰った。ところが三日後、僕はもう一度発作を起こしたんだ。その時から僕の恐怖の残骸は消えないシミみたいに、僕の中に住みついた。

眠れない夜が続き、部屋から出ることもできなかった。

信じられないだろうけど、家から200メートルも離れると、目が回るんだ。めまいって、天井がグラグラ回るってよくいうけど、僕の場合は自分が回ってた。それも勢いよくぐるんぐるんと。回りすぎて吐き気がした。激しいジェットコースターに乗って、乗り物酔いをしたみたいに。

とにかくそれが病気なら治さなければと、病院を渡り歩いた。時間をかけて歩ける距離を延ばして、いろんな病院に行ってみた。そのたびに検査のため血を抜かれることには我慢できたけど、頭を傾《かし》げてばかりの医者にはうんざりした。

それできみとの春の三回目のデートをキャンセルしたんだ。夏には治っていると信じていたけど、スクーターに乗って移動できる範囲がいくらか広がっただけで、もう走ることもできなかった。走ると目が回って吐いてしまうんだ。あんなに走っても平気だったのにね。嘘《うそ》みたいだけど、本当なんだ。

通う自信がなくて大学も中退してしまった。もうまともな就職も無理だから、親に食わせてもらうしかないと思うと泣けてきた。庭でトマトでも育てるのが精一杯という未来しか、僕にはなかったよ。

とりあえず僕の体について今わかることは、頭の中で重要な化学物質がでたらめに分泌されているらしい、ということなんだ。そのせいで僕は必要以上に興奮したり、まったく場違いなところで死ぬほど不安になる。

正直言って、いま僕がこの地にスクーターで来ることができたのはこのところの僕にしてみれば、奇跡のようなものなんだ。最近新しく切り替えた薬が良かったのか、ずっと飲み続けた漢方薬が効き始めたのか知らないけれど、たった今、僕の体は以前の健康な状態に近い。だけど、自分の体のことはよくわかってる。これは一時的な揺り返しで、この状態は長く続かない。

いつ発作が起きるかわからないし、本当に死んでしまうかもしれない。治るかどうかもわからないし、きみを幸せにできるかどうかなんて、そんなこと考えるだけで不安になる。だから――

「きみとはもう会わないつもりでいたんだ」

わたしはあなたを黙って見つめていた。

「今ならいくらでも後戻りできる。きみには僕なんかよりもっとふさわしい人がいる。僕のこの冴《さ》えない人生につき合わせるわけにはいかない。そう思った」

「わたしはあなたに」

声が震える。涙であなたの顔がぼんやりとして見える。

「わたしはあなたに、とても残酷なことを言ったのね?」

あの夏の——

「運動公園で、一緒に走ろう、ってわたしは言ったわ。あなたがとても、苦しんでいた時に。あなたが走りたくても走れない時に、わたしは一緒に走ろうって。あなたと走るのが憧れだったって。なにも気付かないで……」

涙が溢れた。

「なにも気付かないなんて……」

「違うよ。僕がそう望んだんだから。きみに知らせるつもりはなかったんだ」

「ごめんなさい」

「きみが謝ることなんてなにもない。僕こそごめん。きみを傷つけた」

わたしは浴衣の袖で涙を拭った。

そのまま袖の中で息を吐いた。

顔を上げると、あなたと視線が合った。

あなたはわたしを心配そうに見つめていた。

「巧くん……」

「うん」

「わたしに会えなくて、寂しかった？」

とても、とあなたは言った。

とても寂しかった。

わたしもよ。

わたしもあなたに会えなくて、寂しかった。

あなたはわたしのバレッタでひとまとめにした髪に手を伸ばした。

「髪、伸びたんだね」

「会わない間に、ずいぶん長くなったでしょ」

「うん。今日駅前で会った時、びっくりした」

「きれいで?」

「そう、きれいで」

わたしは笑った。

あなたも笑った。

それから、わたしたちは短いキスをした。

わたしはあなたというわたしの居場所を抱きしめた。

あなたはわたしの世界そのものだ。

見つめ合って、もう一度キスをした。

今度はとても長いキスだった。

目を閉じた。

耳を澄ませば聴こえた雨音も、今はもう聴こえなかった。

6

わたしが大学を卒業した春、わたしは榎田澪から秋穂澪になった。

あなたは着慣れないグレーのスーツを着て、わたしは白いワンピースを着た。

お互いの家族と食事をするだけの、わたしたちの結婚式。緊張しているあなたにわたしは何度もささやいた。

大丈夫？

うん、なんとか。

ブーケはわたしの手作りだった。

白いチューリップとミモザ。

あなたの行きつけのお医者さんがいるこの町にアパートを借りて新しい生活が始まった。

あなたは近所の司法書士の事務所に勤め始めた。所長さんはあなたの体調を理解してくれて、午後四時にはあなたを家に帰してくれた。つましい生活だったけれど、わたしはとても幸せだった。

だけどあなたは仕事を始めて、時々しんどそうだった。食によっては、その添加物であなたを苦しめるものもあったから、わたしはできるだけ食事に気を遣った。体の中に摂取するものなのだから、あなたに毒とならないものを選び、慎重に調理した。

あなたは季節の変わり目にとても敏感だった。春と秋はよく熱を出した。原因不明の咳《せき》が続くこともあった。呼吸が苦しくなると、わたしはあなたの背を撫《な》でながら、深呼吸を促がした。

それは夜中に起こることもあった。わたしはあなたの寝顔を見つめては、あなたの神経があなたを揺り起こしませんようにと祈った。

そしてわたしはその年の内に妊娠した。

初めてのあなたのボーナスで買ったビデオカメラを持って、町はずれの森まで一緒に行った。森の小道をまっすぐ歩くと、工場の跡地があった。わたしたちはここまで来ると休憩して、わたしは工場のドアの向かいにある階段に座り、あなたはその前に広がるクローバーの芝生に座ったり寝たりするのが常だった。

わたしはいつものように今は閉じた工場のドアの前に座った。

木漏れ日の中であなたがカメラを回す。

「澪、こっち向いて」

わたしはお腹を撫でながらあなたを向く。

「そうそう」

あなたはカメラのモニターを見ながらわたしに話しかける。

「僕たちの赤ん坊は男の子かな、女の子かな」

「男の子よ」

わたしは答える。

「そうなの？」

「そうよ」

「どうしてわかるの？」

「柔らかな栗色《くりいろ》の髪をした、きれいな男の子なの」

あなたは笑った。

「そうなの？」

7

最初は夢だと思った。

あなたがわたしの夫であったことも、あなたとわたしの間にいた息子のことも。わたしの願望が導いた幸せなただの夢なのだと。

車にはねられ、意識を取り戻すまでの間は、時間にしてほんの数時間だった。その間にわたしは八年後のあなたのもとに跳んでいた。そしてあなたとわたしたちの息子とともに六週間の時間を過ごした。雨の季節に。

小さな子どもと、少し痩せた男の人がわたしを見つめていた。

小雨の降る中、青い芝生の上に立つそのふたりに、わたしは視線を合わせた。

ふたりはとても驚いた顔をしていた。恐る恐る声を出したのは、小さな子どものほうだった。

「ママ？」

男の人は「澪？」と訊いた。

それがわたしの名前だとわかるまで、少し時間を必要とした。

「だれ？」

「え？　僕はきみの夫で、佑司はきみの息子」

あなたは面食らったような声で言った。

「うそ」

わたしは思わずそう言った。

「ほんと」

「ほんとだよ」

と、佑司。

「ここはどこ？」

「町はずれの森だよ。きみと佑司と散歩によく来た……」

「わすれちゃってるの？」

男の子がわたしの顔をまじまじと見上げた。

わたしもわたしの息子だという男の子の顔を覗《のぞ》いた。

途端に男の子の顔がくにゃっと泣き顔になった。

「ママ」

わたしは驚いてとっさに笑顔を作った。

だけどその男の子は、わたしの膝を抱いて声を立てて泣き始めた。

「わたしはあなたの妻、なの？」

「そうだよ」

わたしは首をかしげた。

「いますやすやと眠っているぼうやはわたしが産んだの？」

「そうだよ、すごく大きな赤ちゃんで、佑司が生まれる時、きみは大変だったけどすごく頑張ってくれたんだよ。だから生まれたばかりの佑司を見た時のきみは、とても嬉しそうだった。もちろん、僕も」

「嬉しかった？」

「嬉しかったよ。とても」

そう言って嬉しそうに男の人は微笑んだ。

深い瞳の色。

笑った時の目の下の小さなシワ。

心臓がぴくんと跳ねた。

わたしは慌てた。そして、うすい静脈が浮かぶ瞼《まぶた》を閉じて、すぅすぅと寝息を立てている子どもを見て言った。

「かわいいわ」

「きみの子どもだよ」

わたしは黙っていた。

「こうして眠っているとイングランドの王子みたいだろう？」

あなたはわたしに笑いかけた。

「イングランドの王子？」

「そう、なかなか品良く見える。こうして黙っていれば」

「黙っていれば？」

「そう、黙っていれば」

わたしはくすくす笑った。

だって、そう言われたイングランドの王子とあなたの話し方はそっくりだったから。

「澪のその笑い方は変わってないね」

あなたは言った。

「昔からそんなふうに控えめな笑い方をする」

「普通に笑っているつもりだけど？」

「そんなふうに笑う人は僕の知る限りだけど、ほかにいないよ」

「わたし、どんな笑い方をしてるの？」

あなたはわたしを真似《まね》た。ふふふ、ふふふ、とあなたが笑う。

「わたし、そんなふうに笑ってるの？」

「笑ってるよ。ずっと前から。花火の時だって」

「花火？」

「覚えてない？」

「わたしたちは花火を見たの？」

「そうだよ。僕たちが二十一歳の夏に。きみが列車に乗って、僕のところに来てくれた。駅前のロータリーで待ち合わせて、会えたところで空の向こうに花火が上がった。きみは僕と目を合わせてそんなふうに笑ったんだ。僕もつられて笑った」

列車？

「どうしてわたしは列車に乗ったの？　あなたはその時どこにいたの？」

「僕は旅に出ていた。一緒に花火を見た二日前だったから、確か八月十日だった。八月十日にきみが僕の家に電話をくれたんだ。そして母親に伝言を頼んだんだよ」

話したいことがあるので電話をください。いつまでも待っています。

「僕はきみに何かあったんじゃないかと思って、心配して公衆電話からかけたんだ。きみは呼び出し音が鳴るか鳴らないかのうちに電話に出て、僕に会いに行ってもいいかと尋ねた」

「それから？」

「僕は、体に不具合を抱えていた」

「不具合？」

「うん。くわしくはあとで話すよ。とにかく僕は自分の将来に失望していたんだ。そしてきみにはきみの大切な未来があった。だから僕はきみから去って行くつもりだったんだ」

「まさか、だから突然のあの手紙なの？　のっぴきならない事情？」

「え？　思い出したの？」

あなたは驚いて訊いた。

わたしも驚いていた。

わたしは恐る恐る自分の口に手を当てた。

「いま、わたし何て言った?」

「のっぴきならない事情?」

——思い出した。

「巧くん?」あなたなの?

「うん」

「びっくりしちゃった」

「うん、僕もびっくりしちゃったよ」

そう言って笑う顔は、わたしの知るあなたと同じだった。

「だけどきみは大丈夫って言ったんだよ。とてもはっきりと、大丈夫って」

「え? その電話口で?」

「そう、電話でも、花火の時も。花火のあとにすごい豪雨になって、ホテルは見つからないし、腹は減ってたし、スクーターで峠を越えて、やっぱり宿は見つからなかった。僕らは雨に濡れて冷えきっていた。僕はきみが心配で仕方なかった。だけどそれでもきみは気丈に言ったんだ。大丈夫よ、って。思い出せそう？」

「え？　ええ、なんとなく……」

心臓が高鳴って、目が回りそうだった。

必死になって気持ちをしずめる。

「雨宿りのための歩道橋の下で、僕は途方に暮れた。きみは血の気の失せた唇をして震えていた。だけどきみはそこでも言ったんだ。前髪から伝う滴を払って、大丈夫よ。行きましょう。前に進むの、って。僕は、この瞬間に」

「この瞬間に？」

「いや、いいよ。照れる」

あなたは笑いながら首を振った。

「なに？　その瞬間にどうしたの？」

「きみと」

「わたしと？」

「一緒に生きていこう、と心に決めたんだ」

理解するより先に、感情が溢れていた。

胸が苦しくなり、涙が込み上げた。

「澪？」

あなたが心配そうにわたしの顔を覗きこんだ。わたしは咄嗟に涙を拭いて、ふふ、と笑った。

「そう、その笑い方」とあなたも笑った。あなたはわたしをそっと抱いた。

大事なものを慈しむように、壊れないように、わたしの肩とあなたの腕がほんのわずかに触れ合うだけの抱きしめ方だった。

あなたは話を続けた。

大丈夫、ときみは言った。大丈夫、きっとうまくいく、って。

きみが僕らの未来をそう言ってくれているような気がした。

「こんな僕でもきみを幸せにできるかもしれない、そう思えたんだ」

8

ところで、あなたたちは大変なことになっていた。

部屋は散らかり放題散らかって、佑司の制服のシャツは何日か前からのケチャップのシミがつき、あなたは初夏だというのに冬物の上着を着て通勤。二人の髪の毛はぼさぼさに伸びて、佑司はたっぷりと耳垢《みみあか》をため込んでいた。

佑司が当たり前のように汚れたシャツを着ようとしたから慌てて止めた。

「そんな汚れたシャツは着なくていいのよ」

洗いたての白いシャツを着せたら、佑司はシャツの裾をひっぱって、信じられないくらいの長い時間、シャツを眺めていた。そして満面の笑みで嬉しそうにわたしを見上げた。

「やっぱりママだ」

二十一歳のわたしはまだ処女のはずだったし、もちろん子どもも産んだことはなかったけれど、わたしはなんとなく、お母さんだった。不思議なことにちゃんと。

佑司が眠りについたあと、わたしはあなたの隣で横になって、佑司と同じような格好で寝ようとしているあなたに尋ねた。

「すごく気になるんだけど」

「なに？」

「花火の日、わたしたちは結局、宿を見つけることはできたの？」

「なんとかね、二つ目の峠を越えたところで空き部屋のあるホテルを見つけたんだ。その時には僕らはモルグの死体みたいだったよ」

「とりあえず、よかった。それで？」

「それで？」

「それからどうしたの？　わたしたち」

「うん、いろいろしたよ」

「どんなことしたの？」

「一緒にシャワーを浴びた。服を着たままでね。僕らはすでにびしょ濡れだったから服なんてもう関係なかったんだ。きみはがたがた震えてた。とてもかわいそうだった」

「あなたは大丈夫だったの？」

「極端に寒かったけど、中途半端に寒いより良かったのかもしれない。僕はきみのほうが心配で仕方なかった。きみがどうにかなったらどうしようって、それだけが気になっていた」

「ありがとう」

わたしは言った。

「それから？」

「バスルームを出て、ホテルに備えてあった浴衣を着たよ。そして僕らはベッドの上で話をしたんだ。僕の不具合の話を、その時初めてきみに聞かせた。もっともきみは僕が気にしたほど意外そうな様子はなかった。ただ僕が話すのを、一言も聞き漏らすことのないように真剣な表情で聞いてくれた」

「うん」

「そのあと、僕たちはキスをした」

「キスをしたの？」

「そう、それから」

「それから？」

「セックスもしたんだよ」

「すごい！」

あなたは照れたように笑った。

「わたしたち、頑張ったのね」

「そうだね」

「そうなの？」

佑司の寝言だった。

わたしたちは目を見合わせて笑った。

そしてわたしたちはほんの触れあうだけのキスをした。

それは、わたしの初めてのキスだった。

あなたの唇から離れて、わたしはじっとあなたを見つめた。

あなたもわたしを見つめていた。


「ねえ」

佑司を起こさないよう、ささやくような声でわたしは尋ねた。

「翌日わたしたちの服はどうなったの？」

あなたもささやくように答えた。

「ふたりともTシャツだったんだ。で、僕はジーンズ、きみはパステルカラーの細いボーダー柄のフレアスカートだった。Tシャツときみのコットンのスカートは室内が乾燥していたせいで朝には結構乾いたんだけど、僕のジーンズがまだ湿っていた。それをきみが備え付けのドライヤーで乾かしてくれたんだ」

「よかった。気になったの」

「それから僕のスクーターで一緒に帰った。十時間かけて」

「すごい」

「楽しかったよ」

「そうでしょうね」

「途中コンビニでパンを買ったりしてね」

「今、そのスクーターはどこにあるの？」

あなたは少し困ったように笑って首をひねった。

「花火の時は特別調子が良かった時期なんだ。それからすぐにスクーターに乗れなくなって、手放したんだ」

「そう。それがいいわ。危ないもの」

「そうだね」

「そうなの？」

わたしたちは佑司を振り返り、できるだけ小さな声で笑った。

そしてもう一度、キスをした。

わたしの二度目のキスだった。


あなたと佑司は時々トイレを一緒に使っていた。

「ねえ、あなたたちはトイレを一緒に使うの？」

「まあ、そうだね。うん、たまにかな。急いでいる時とか、そうすることもあるよ」

「たっくんとぼくは仲良しだから」

佑司はあなたのことをたっくんと呼んでいた。

「どこの家庭のお父さんと息子もそうなのかしら？」

わたしには男の兄弟がいないからわからない。

「え？　いや、どうだろう？」

あなたは首を傾げた。

わたしも首を傾げた。

佑司も首を傾げた。

まあ、いいんだけど。


「ママごちそうさま」

「はい」

「僕もごちそうさま」

スクランブルエッグとレタスのサラダ、みじん切りにしたジャガイモと人参とベーコンのミルクスープとトーストを平らげて、あなたと佑司は食卓の椅子《いす》から同時に立ち上がった。

「はい、ふたりとも、いってらっしゃい」

あなたも佑司も一瞬驚いたようにわたしを見つめる。

佑司がわたしのエプロンにしがみついた。わたしは佑司の柔らかな栗色の髪を撫でながら、どうしたの、甘えんぼさん？　と声をかけた。

「いってきます、ママ」

「いってらっしゃい」

「僕も、いってきます」

「いってらっしゃい。気をつけてね」

アパートの玄関から見送るわたしを佑司は廊下を一歩歩くたびに振り返った。そのたびにわたしは笑顔で手を振った。あなたもそのたびに足をとめてわたしを見つめ、佑司の手をひいた。

東の空から朝日が照りつける。梅雨の晴れ間だ。

「お布団干して」

今日は押入れを片付けよう。

なんでも押入れに突っ込んであるのは感心しないわ。

わたしは空に向けて体を伸ばした。

なんて愛しい朝があるんだろう、と思った。それまでのわたしは、そんな朝の存在を知らなかった。だけど、この違和感はなんだろう。

愛しさの存在は、わたしの中心にある何かを危うくした。

何かを忘れている。

玄関の下駄箱の上に置かれているあなたとわたしの結婚写真を手に取った。写真の中でわたしたちは幸せそうに微笑んでいる。といっても、あなたはちょっと緊張気味に。

二十一歳のわたしが八年後のここにいて、二十九歳のあなたと、六歳の佑司がここにいて、じゃあ、二十九歳のわたしはどこに行ったのだろう?

それはごく自然な疑問だった。

わたしは写真を下駄箱の上に戻した。いまも通勤着にしているグレーのスーツ姿のあなたと、白いワンピースの姿のわたし——ここで幸せそうに微笑む「わたし」はどこに?

9

「男の子ですよ！　3900グラムの元気な赤ちゃんです」
赤ちゃんの泣き声と助産婦さんの声が聞こえた。よかった。元気そうな産声だ。
そう思ったとたん、わたしは気を失ってしまった。
三十時間に及ぶ難産は、わたしの体力を相当に消耗させた。
かすかに、あなたの声が聞こえた。
あなたの、わたしを呼ぶ声。
そして、わたしたちのぼうやの声。

ママ

ママ？

ママ

「澪、目が覚めた？」

白い天井にレースのカーテンが風で揺らめいている。あなたの声だ。

「……赤ちゃんは？」

「新生児室にいるよ。元気な赤ちゃんだよ。いま、お母さんたち、そっちに行ってる」

「そう、よかった」

わたしは息を吐いた。あなたはわたしの頭を撫でた。

「よく頑張ったね」

そう言って微笑むあなたの頬に手を伸ばした。あなたの体温を手のひらで測る。

あなたも疲れているはずだった。わたしにつきあってずっと寝ていないのだから。

「あなたは大丈夫？」

「きみに比べたら大丈夫だよ」

「そう？」

「ゆっくり眠って」

「ありがとう。だけど、早く赤ちゃんに会いたいわ」

「あとでいくらでも会えるよ。とても大きな元気な赤ちゃんだよ。彼もきみに会えるのを、きっと楽しみにしている。でも、いまは休もう」

わたしは白い天井に視線を戻した。カーテンの揺れる窓から気持ちのいい風が入る。

「ねえ」

「なに？」

「わたし、とても幸せだわ……」

「澪？」

「うん」

「いや、なんでもない」

「なぁに？」

「なんだか、きみが遠くに行く気がした。変だね。違うよ。……とても綺麗《きれい》だ。母親になったたって感じだよ」

「そう？」

「うん。とても綺麗だ」

わたしは笑った。

「恥ずかしいわ。ありがとう」

「どういたしまして。さあ、休んで」

あなたはベッドの綿毛布をかけ直した。


「ほら、いま佑司が笑った。見た？」

「ほんと、笑ったわ」

アパートに戻ると、幸福な時間がわたしたちを待っていた。

あなたはビデオカメラで佑司とわたしを撮影し、写真をいくつも撮った。

「髪がなんて柔らかいの。赤ちゃんにしてはたっぷりあると思わない？」

「この髪の色は僕の子どもの頃と同じかな」

「きれいな色ね」

「将来は僕みたいにクセ毛で苦労することは間違いないね」

「わたしはあなたの髪、好きだわ」

「きみは変わってる」

「そうかしら？」

みぞおちがきりりと痛んだ。

日曜日の昼下がりのことだった。

「どうしたの?」

「あ、いえ、なんでもないの」

痛みは急速にみぞおちから上腹部、背中へと広がっていく。上半身が捻《ね》じ曲げられるような痛み——なんでもないと言いきれる痛みではなかった。立っても横になってもいられない。胃液がこみ上げて吐き気がした。

わたしは台所のシンクまで駆け込んで嘔吐《おうと》し、その場に座りこんだ。

「澪!」

あなたがわたしに駆け寄る。

苦しさに涙が滲《にじ》んだ。

苦しさだけではなかった。

「あなた……」

わたしはあなたの首にしがみついた。

体が歪《ゆが》むような錯覚があった。

「澪!」

観念的な不安は激痛とともにわたしを呑み込み、確信的な予感となってわたしを襲う――定められた未来は、絶対に変えられない。

「いや、いや！」

「澪！」


あなたは少し蒼褪《あおざ》めた顔で病室に入ってきた。

そしてわたしのベッドの横にあったパイプ椅子に座り、わたしの左手を握った。

右手首には点滴のチューブが繋がれていた。

「二週間ほど入院してください、って」

「そう……」

わたしはため息をついた。

「佑司は？」

「さっききみが寝てる間にお母さんが病院に来て、連れて帰ってくれた。当分あずかってくれるって」

「そう」

わたしは天井を向いた。すぐにでも涙が溢れそうだった。

「さびしいな」

「澪……」

あなたは力の入らないわたしの左手に少しだけ力をこめた。

「大丈夫だよ。すぐに良くなるから」

そうね、とわたしは呟いた。


「稀《まれ》ではありますが妊娠中に発病することがあります。ただ秋穂さんの場合、もう出産なさって二ヶ月以上経過していますし、原因ははっきりしません。難産だったということで出産時に使われた薬剤との因果関係も考えられますが、原因の証明は難しく、この場合、突発性と分類します」

退院する日が決まって、担当医師はあなたとわたしにそう説明した。

目の前には入院時と昨日撮影した二枚のCT像があった。

明らかに入院時と昨日の写真とでは違っていた。入院時のわたしの内臓は何もかも肥大して見える。

「血中アミラーゼの濃度はほぼ正常に戻りました。CTで見ても大丈夫です。腹水もありません。秋穂さんの場合は原因がはっきりしないので、退院したあとも注意が必要です。この病気は再発しやすく、慢性化しやすい傾向があります」

「慢性化？」

あなたは驚いて医師に尋ねた。

「はい、でも必要以上に不安がることはありませんよ。食事は意識的にたんぱく質を摂り、脂肪を減らしていきます。このあと、栄養士に食事の指導を受けてください」

「はい」

あなたは頭を下げた。

「ありがとうございます」

わたしも医師に礼を述べ、もう一度自分の内臓のCT写真を見上げた。

ゆるやかに時は流れ、その時とともに佑司が成長していった。

郊外の森は歩いて二十分ほどのところにあった。わたしはベビーカーを押し、あなたは佑司を抱き上げて歩いた。クヌギやエゴノキの葉が木漏れ日を作り、わたしたちはその中をゆっくりと進んだ。

あなたは佑司の瞳が見つめるものすべてに言葉で応じた。

「これはカタバミという花だよ」

「ほら、佑司、ここに松の根っこが地面から出てきてる」

佑司は時々意思を持つ瞳で遠くを見つめたり、急に嬉しそうに笑ったりした。それからふいにあなたの首にしがみつき、顔を上げてわたしに笑いかけた。

工場の跡地まで来ると、わたしはそのドアの向かいにある階段に座り、あなたはその前に広がるクローバーの芝生で佑司と横になった。やがて、佑司はひとりで起き上がり、とことことわたしのそばまで歩いて来た。あなたは上半身を起こし、その様子を嬉しそうに見つめる。

「佑司が何か見つけたわ」

佑司がしゃがみ込んで地面に落ちている何かを拾っている。

やがて小さな親指と人差し指を輪にしてそれを掴《つか》み上げる。

「ボルトだ」

「飲み込んだら大変だわ」

わたしは佑司のそばに駆け寄り、ボルトを彼の手からゆっくりと取り上げた。佑司は両手を伸ばしてアーアーと言った。

「だめよ。あなたは何でもお口に入れちゃうんだから」

「よく見るとこの辺はボルトやナットがたくさん落ちてるね」

「ほんと」

「あ」

あなたは突然しゃがみ込んだ。

「スプロケットだ」

あなたは嬉しそうにわたしと佑司に見せた。

佑司も嬉しそうにあなたの指先にあるスプロケットに向けて腕を伸ばす。あなたは腕を下ろして佑司に触らせた。

「当たりだ」

あなたは佑司に向かってにんまりと笑った。佑司も嬉しそうに笑った。

わたしもつられて笑ってしまう。

「ヘンなの。どうしてそれが当たりなの」

「よく見てごらんよ。ボルトやナットやコイルバネはたくさんあるけど、スプロケットはなかなかないよ」

「そう言われれば……」

わたしは足元の地面を見渡した。

「そうね」

「そうだろう?」

あなたと佑司は地面にしゃがみ込んで、あちこち指さしては話しはじめた（もちろんあなたが一方的に話しかけていただけだけれど）。

南の空から風が吹いた。

わたしは空を見上げ、そのまぶしさに目を細める。

かすかに白い月が見えた。

眺めていると不思議な浮遊感に襲われる。でも何も怖くなかった。

あなたと佑司の声が聴こえる。

わたしは目を閉じ、森の空気とあなたと佑司の存在に身をゆだねる。

風が吹く。

風は葉を揺らし、わたしの中を通りぬけた。

目を開けた。空。わたしは両手を広げる。

「星だわ」

「え？」

「この空の向こうに星があるのね？」

あなたは立ち上がって空を見上げた。

「そうだね、無数の星がある」

「わたしたちを見てるわ」

「見てるかな?」

わたしはあなたを振り返った。

「ええ、きっと」


佑司の五歳の誕生日のために、わたしは絵本を描いた。

10

五週間目のことだった。押入れの整理をしていたら、絵本が出てきた。

「あ、これ、たしか……」

それは、いつか佑司があわてて隠した絵本だった。

その日、佑司はその絵本の最後のページを見つめていた。食器を洗い終えたわたしがなんとなく近づくと、佑司はあわてて本を閉じてわたしを見上げた。その瞳が震えていた。

わたしは膝を床につけて、どうしたの？　と聞いた。

ママ、と彼は言った。

どこにもいかないで。

揺れる巻き毛をわたしは撫でた。
どこにも行かないわ、とわたしは言った。
あめのきせつがおわっても？
雨の季節？
わたしは窓の外を見た。
朝からの雨はまだ続いていた。

わたしは「アーカイブ星」というタイトルが書かれたその表紙をまじまじと見つめた。それはまぎれもなくわたしの字だった。

ねえ、ぼうや。
あなたはおぼえているかしら、
こんなものがたりがあったこと。

その星のなまえは、アーカイブ星。
ぼうやがだいすきだったあのひと、
いまはもういなくなってしまったあのひとも、この星でしずかにくらしているはず。

そんな星に、ひとりのさびしい女のひとがいたの。

とてもさびしい。
でも、なぜさびしいのかわからない。
だれにきいても、みんなくびをかしげるばかり。
どうして、こんなきもちになるの？

女のひとは、さびしいきもちのわけがしりたくて、

「さがしもののとびら」までやってきた。
そして、とびらをあけた。

とびらのむこうにあったのは、雨の森。
女のひとは雨のきせつのはじまりに
ぼうやの星にやってきた。

ふと気がつくと、
雨にぬれてないている男の子が、森のいりぐちにたっていた。

まいごになってないているのね。
女のひとはかわいそうに思って、
男の子をだきしめてあげた。

そしたらね、ふしぎなことがおこったの。

女のひとの手のなかに、
きらきらひかるたねがひとつ。

ふたりはそのたねを
町のはずれの草はらにうえてみた。
たねはみるみるめをだして、
町は花でいっぱいに。
それを見る町のひとたちも、なんだかうれしそう。
みんな、そっと、じぶんのとなりにたつひとの手をとって、
すこしだけかおを赤くしている。

やがて、お父さんがやってきた。

ああ、ってお父さんはいったわ。

「ずっと、さがしていたんだよ」

男の子はお父さんのむねにとびこんで、
なみだをぽろぽろこぼしたの。

きっと、ほっとしたのね。


そのとき、雲がきれ、太陽がかおをだしてきた。


「雨のきせつがおわったわ。もう、かえるじかん。

ありがとう。

ふたりにあえて、さびしいきもちはきえたみたい。」

「わたしのことわすれないでね。

ときどきでいいから思いだして耳をすませてみて。

そうしたら、きっと
わたしの声がきこえるはずよ。」

女のひとがかえっていったあとには、
たくさんの四つ葉のクローバーがはえていた。
空には大きなにじがかかって、
雨の子どもたちがすべり台をしていたわ。

「ねえ、ぼうや耳をすませてみて。
きこえるかしら?
アーカイブ星から、
そっとあなたたちの名をよぶわたしの声が。

わたしは絵本を閉じた。

奇妙な予感に胸がざわめいた。

立ち上がり、押入れの中のものを部屋に出した。あなたの冬物の衣類、佑司の着られなくなった小さなシャツやセーター、たくさんのあなたの本、佑司が幼稚園で描いたお絵かき……。

紙製の靴箱がいくつもひっくり返って床に落ちた。

ふたの開いた靴箱から、封書のほかにたくさんの書類が出てきた。

秋穂澪と記名された病院の領収書、墓地の使用権利書や葬儀の進行表、数々のお悔やみの電報……。

わたしはその場にへたりこんだ。

わたしの死因が書かれた書類もあった。わたしの死亡日時も書かれていた。

気管がせり上がり、咳が出た。咳はなかなか止まらなかった。深呼吸を繰り返し、涙を拭った。わたしは両手で顔を覆った。

手のひらが震えた。

もうすぐ、佑司が帰ってくる。

「夕飯を、作らなくちゃ」

そう声に出し、わたしは書類をかき集め、靴箱に入れた。ほかの靴箱から飛び出した封書もかき集めた。よく見ると、封書はわたしたちの手紙だった。あなたからの手紙も、わたしからあなたに宛《あ》てた手紙もあった。

わたしは封筒から懐かしい手紙を取り出した。

榎田さんへ
気温が下がると陸上の練習も少し楽になってきました。
やっぱ炎天下はキツかったー。
「素敵」とか言われると照れちゃうよ。でもありがとう。

なんていうか、僕は変わりゆくものと、絶対に変わらないものと両方あると思うんだ。

変わらないものは、変わらないことに関していうと絶対的で、とにかく変わりようがないんだ。そのものが持つ意思と関係なくね。

そういうのって確実にあると思ってるよ。人の心にも。

心の中っていうか。あるよ、きっと。

秋穂　巧さま
うん、巧くん、そんな気がしてきた！
きっとそうだよね。
わたしの気持ちもきっとそうだと思う。変わりっこないもの。
すごいよ、嬉しい。
そうそう、聞いて。寮のお風呂は共同で、毎回六人ずつ班ごとに入るんだけど
（入学当初は裸のおつきあいって抵抗ありまくり！　今はだいぶ慣れたけど……）、

今日ね、一緒にお風呂に入った友だちに「澪、痩せてキレイになったんじゃない？」って言われたの。

なんとなく、巧くんと九月七日に会ってからいい感じ、な気がします（照）。


「変わりっこない、だって」

わたしは笑った。笑うと涙が出た。涙が出ても鼻をすすりながら笑った。

わたしはあなたと花火の日に結ばれて、あなたと結婚する。

そしてかわいい男の子を出産して、その五年後に死んでしまう。

「巧くん……」

わたしは二十八歳でこの世を去ってしまう。

かけがえのない、大事なものをここに置いて。

「佑司、今日はママと一緒にお風呂に入ろっか」

夕食後の食器を片付けながらわたしは言った。

「ほんとう？」

「え？　僕は？」

あなたは自分を指さして尋ねた。

「あなたは大きいからうちのお風呂じゃ狭いでしょ。佑司、一緒にお風呂に入ろ」

「いいなぁ、佑司」

「やったぁ！」

大げさなくらい、佑司は飛び上がって喜んだ。

そんなに喜んだのに、いざ入る時になるとやたらと彼はもじもじした。

「なぁに？　恥ずかしがることないでしょ？」

「そうなの？」

「そうよ。親子だもん」

わたしは先に服を脱いで浴室に入った。

「ほら、いい子だからいらっしゃい」

「うん」

シャワーで佑司の体を洗った。小さな男の子とお風呂に入るのは初めてだったけど、なんとかシャンプーまでしてあげることができた。

「ママのシャンプーひさしぶり」

「そうね」

わたしは泡立てた佑司の髪を立ててみた。大きな瞳に小さな額、そのうえの白いクリームのような佑司の髪がタワーになっていた。

「佑司、なんてかわいいの」

「そうなの？」

彼は照れたみたいに笑った。

その顔は、はにかんだ時のあなたにそっくりだった。

「目にいれないでね」

「大丈夫よ。まかせておいて」

なんて言っておきながら、すすぎの時のシャンプーの泡は思いきり佑司の目を直撃し、彼は痛い痛いと泣くはめになってしまった。すすぎ終えると、彼は目を指で撫でながら言った。

「ママ、シャンプーへたっぴになってる……。まえはあんなにじょうずだったのに」

「ごめんね。大丈夫？」

「うん。もういたくない」

「よかった。ほんとうにごめんね」

わたしたちは肩までお湯に浸かった。

「ね、佑司」

わたしは彼に声をかけた。

「いつもトイレでパパと何を話してるの？」

佑司は答えるより先に首を横に振った。

「なんにも」

「そう？」

「うん」

「ママ、雨の季節が終わったら、アーカイブ星に帰っちゃうのかな」

「おもいだしたの?!」

佑司の小さな体は跳ね上がり、湯船のお湯が大きく跳ねた。

「うん、少し思い出したみたい」

佑司はグーに握った両手で顔を覆った。

「ねえ、聞いて」

彼はやっと息を吐いて、ヒックとのどを鳴らした。

「いったらいやだ。どこにもいかないで」

「佑司……」

あ、だめだ。泣くまいと決めていたのにもう鼻が痛い。

「ママの心は佑司のそばにいるよ。ママは佑司をずっと、見守っているから」

ヒックヒックと彼ののどが鳴っている。

「ママ、ごめんね。ごめんね」

「どうしてあやまるの？」

「ぼくのせいでしょ？」

「佑司？」

「ぼくのせいでママは死んじゃったんでしょ？」

「え？」

「親せきのひとがおしえてくれたんだ。ぼくが生まれたせいで、ママが死んだんだって」

佑司はのどの奥から声を漏らして泣いた。ぎゅっとつむった目から、ぽろぽろと涙がこぼれた。

切なかった。

わたしは佑司の髪を撫で、頬を撫で、小さな肩を撫でた。

「あなたは少しも悪くないのよ。世界中の誰よりもいい子よ」

しゃっくりと同時に佑司の胸が上下していた。わたしは彼のグーにしたままの小さな拳《こぶし》をゆっくり広げて、そっと握った。

「ママは佑司に出会えて幸せなの。佑司はママにたくさんの幸せを運んでくれたのよ。佑司がママの子に生まれてくれなかったら、そのほうがママは悲しかった」

「ほんとう?」

「本当よ。あなたはわたしの最高の宝物なの」

「ぼくのこと?」

「ええ、そうよ」

わたしは湯船の中でわたしの子どもを抱きしめた。あたたかい鼓動を感じた。

「愛してるわ……」

11

眠っている佑司の顔はピンク色で、時々扇風機に前髪が揺れた。

「佑司の顔が赤いわ。大丈夫かしら？」

「大丈夫だよ。彼は赤くなりやすいたちなんだ。小さい子はみんなそうだよ」

わたしはため息をついた。

「わたしったら、母親失格ね。子どもがのぼせるまでお風呂に入れるなんて」

「のぼせたほどではないよ。彼はきみとお風呂に入れて嬉しくて仕方なかったんだよ」

「ええ、そうね」

わたしは佑司の寝顔を見つめながら、泣きじゃくる佑司の顔を思い出した。

「きみはいいお母さんだよ」

あなたは言った。

「ありがとう。雨の季節が終わるまでは、そうありたいわ」

不自然な間があった。

わたしはあなたを見つめ、あなたもわたしを見た。

「記憶が戻ったの？」

わたしは首を横に振った。

「偶然見つけたの。押入れの整理をしていて、偶然に。あの靴箱が落ちて、その中から」

「澪……」

「それまでも違和感はあったの。今のわたし自身、地に足がついてない感覚っていうか、ここにいることは不自然というか」

実際に不自然極まりないことではあったのだ。二十一歳のわたしが八年後のこの場所にいるという、それだけで。

「それに、あなたたちの挙動もあやしかったわ。しょっちゅう佑司と二人でトイレにいるしね」

「きみの記憶を戻させないように、彼と打ち合わせしてたんだ」

「わたしが、死んだ記憶ね？」

あなたは俯いて首を振り、蒼褪めた顔で「そうだ」と言った。

「あなたたちは相当びっくりしたでしょうね。死んだ妻が幽霊になって戻ってくるなんて」

「うん、確かに驚いたけど、きみは亡くなる前に僕に言い残していたんだ。翌年の雨の季節には戻ってくる、って。まじめなきみのことだから本当に僕たちに会いに戻ってきてくれる気がしたんだ。だから僕は」

あなたは瞬きを一度して、手のひらで顔を拭った。

「だから僕は、生きてこれた。きみが亡くなったあとも」

わたしは目を閉じた。

悲しみと、痛いほどの愛しさは、なんて似てるんだろうと思った。

「ねえ」

「うん」

「わたし、声を上げて泣いちゃいそうなんだけど」

「泣いていいよ」

「だめよ。佑司が起きてしまうわ」

「佑司はぐっすり眠ってる。きっといまキングコングがこの町を襲ったって彼は起きないよ」

「だめよ。冗談なの。大丈夫よ」

わたしは鼻がつうんとなるのを実感しながら手を振った。

「きみはいつだってそう言ってた。大丈夫よって言って笑ってた。きみはとても強い女性だった。僕の前で声を上げて泣いたことなんてなかったよ。病気の時だって、どんなにお腹が痛くても、きみは大丈夫だと言った」

わたしはあなたを見つめた。

「泣いていいんだよ」

あなたの深い瞳の色。

ここはあなたから半径1メートル。

わたしの記憶は初めて生成される。あなたと出会ってからの十三年分の記憶。一緒に花火を見た。あなたとキスをした。そしてあなたと結婚して、佑司という男の子を産んで——わたしはずっと、あなたに見つめられて生きてきたのだ。これまで、ずっと。

「うっ、ふっ……」

あなたはわたしを抱きしめた。

嗚咽《おえつ》がのどから溢れ出す。

「どうして、どうして一緒に生きて行けないの……！」

あなたの手に力がこもる。

「あなたと、佑司と、生きて行きたい。どこにも行きたくない」

わたしは子どものように声を張り上げて泣いた。わたしは必死であなたにすがった。

なにも見えなかった。

あなたのそばで生きていきたい。離れたくない。

ずっと、ずっと、あなたのそばにいたい。


あなたの言葉どおり、あんなに大声で泣いたのに佑司は起きなかった。

本当にキングコングがこの町を襲いに来ても目を覚まさないかもしれない。

「キングコングはともかくとして」

わたしは言った。

「地震が来た時とか大丈夫かしら？　ちょっと心配だわ」

あなたはわたしを抱きしめたまま、笑った。そしてわたしの頭にキスをした。

「大丈夫だよ。僕が目を覚ますから」

「そう？」

「そうだよ」

「佑司を、よろしくね」

「わかった」

わたしは涙で濡れたあなたの肩から頭を起こして、あなたの頬にキスをした。

「あなたのことが、どうしようもなく好きなの」

あなたはわたしの顔に涙で張りついた髪を優しくすくい取った。

「僕もだよ」

あなたは言った。

「きっとこうやって僕らは何度でも恋に落ちるんだ。出会えばまた、惹《ひ》かれてしまう」

「いつかまた」

わたしは鼻をすすった。

「どこかで？」

「そう、いつかまた、どこかで。その時もきみの隣にいさせてよ。すごくいごこちがいいんだ」

わたしは笑った。あなたも声を出さずに笑った。

わたしはあなたを抱きしめた。
「わたしもあなたの隣が好き」

ねえ、
うん？
あなたはわたしと出会って、幸せだった？
幸せだったよ。きみは僕をとても幸せにしてくれた。
よかった……。
いまだって幸せだよ。これ以上ないくらいに。
よかった……。わたしも、とっても幸せなの。これ以上ないくらいに。
よかった、とあなたは言った。
そして、わたしたちはキスをした。
それからわたしは、生まれてはじめて男のひとに抱かれた。
あなたに、抱かれた。

12

天気予報は唐突に梅雨明けを告げた。
わたしは洗濯物を取りこみ、きれいにたたんだ。
アパートの階段を勢いよく走る佑司の足音が聞こえる。
ランドセルを背負って走って学校から帰ってきた佑司は顔いっぱいに汗をかいていた。
「佑司、森へ行こっか」
わたしは今にも泣きだしそうな彼に笑いかけた。
彼は拳で涙を拭いて大きく頷いた。

佑司とわたしは手を繋いで、森へ向かう途中にあるトンネルを歩いた。

「あの雨の日、ママが佑司とパパと出会って、おうちに帰る時もこのトンネルを歩いたね」

「うん、歩いたよ」

「このトンネルの感じには覚えがあるわ」

「おぼえってなぁに？」

「雨の日の前にも、ここを通った気がするの」

「いつ？」

「いつだろう？　……ママが生まれてきた時かな」

「ふうん？」

トンネルを抜けた。

わたしたちは光に包まれる。

この世界に生まれ出る感覚に似ていた。

世界のはじまり——あなたとわたしの。

「森の入り口が見えてきたよ。たっくんまだかかな？　まにあわないよ。たっくん、走れないもん。たっくん、走れないもん。どうしよう」

「佑司、パパは走るの速かったのよ。かっこよかったんだから」

「たっくんが？」

佑司が大きな瞳を見開いた。

「そう、たっくんが」

「そうかぁ」

佑司はまだ驚いていた。

「佑司」

「うん」

「パパのこと、お願いね」

佑司はわたしの顔をまっすぐ見上げた。

「ママの代わりに、パパを気遣ってあげてね。お願いよ」

佑司は一度だけ瞬きをして頷いた。

「うん、わかった」

わたしも彼に向かって頷いた。

佑司はふいに後ろを振り返って叫んだ。

「たっくん！」

あなたがわたしたちに向かって走っていた。

「たっくん、まにあった！　たっくん、ね、ママ、まにあったよ！」

陽の下をあなたが走っていた。

わたしは思い出す。

放課後の校庭であなたはトラックを何周も走っていた。

わたしは教室の窓からあなたを見て、胸が震えた。

高校生の時と、今のこの胸の震えと、何が違うだろう？

あなたは言ったのだ。

絶対に変わらないものがある。

あなたはわたしたちのところまで来て、肩で激しく息をしながらわたしを見つめた。

「澪……」

「はい」

佑司もあなたを見上げ、あなたの次の言葉を辛抱強く待っていた。

あなたはわたしにかける言葉を探していた。あなたは今にも泣きそうな顔をしている。そんな表情も、あなたと佑司はそっくりだ。

わたしは微笑んで、ゆっくりと両手を広げた。

あなたはわたしを抱きしめ、息を吐くように、わたしの名前を呼んだ。

腕を回したあなたの背中は熱を帯び、大きく息をしている。

きっと一生懸命走ってきたのだ。

あのトンネルを抜け、自転車に追い越されながら、ここまで、走ったのだ。

「頑張ったのね。えらいわ」

わたしたちは三人で森に入った。
そこが、わたしの還《かえ》るべき場所への入り口だった。
そしてわたしは現実へと戻った。
二十一歳の夏のことだった。

四度目の退院から十九日目の今日、早くに目を覚ましたあなたをもう一度寝かせて、わたしはアスパラガスや玉ねぎ、トマトも入った野菜たっぷりのオムレツを焼いた。オムレツはもちろん、あなたの好きな半熟だ。

フライパンからオムレツをお皿に移し、テーブルに置いた。そしてダイニングを見渡した。

あなたと結婚して、このアパートを不動産会社に紹介された時、わたしはすぐにここに決めた。二十九歳のあなたと六歳の佑司と雨の季節を過ごしたアパートだったから。

初めてこの部屋に足を踏み入れた時、どれだけ懐かしく思ったことだろう。

トーストも焼けた。

あなたと佑司、二人分の牛乳とハムをテーブルに置く。

わたしはあなたたちを起こしに部屋に入った。

2DKのアパートで、テレビを置いた洋室を居間に使い、和室に布団を敷いて、わたしたち三人は川の字になって寝ていた。

「また同じ格好で寝ちゃってる」

わたしは笑った。

カーテンの隙間《すきま》から朝日が射し込んでいる。

窓際にまわって、わたしはあなたと佑司を見つめた。

カーテンを引いた。

「さあ起きて、ふたりとも。朝よ」

あなたと佑司は眩しそうに目を細め、わたしを見上げた。なんて愛しい朝だろう。

わたしは呟く。

「愛してるわ……」

身重の女性に席を譲ると、彼女はゆっくりと腰を下ろし、愛しそうにお腹を抱いた。わたしはわたしの小さな息子を思い出し、窓から夏空を見上げた。

山の向こうがオレンジ色に染まっていた。

列車は揺れながら、わたしを湖の駅へと連れて行く。

美しい夜のはじまり。わたしの素敵な未来のはじまり。

わたしは目を閉じて、あなたを思う。


いま、会いにゆきます――

SHOGAKUKAN BUNKO

好評新刊

〈時代小説版〉幕末維新編 人物日本の歴史
縄田一男／編
第5巻は桜田門外の変から西南戦争まで。早乙女貢、神坂次郎、津本陽ら時代小説の名手たちが描く幕末維新。

千里眼の死角
松岡圭祐
記念すべき「千里眼」シリーズ第10作。ヒロイン岬美由紀と宿敵メフィスト・コンサルティングとの最終決戦が始まる。

幸福不感症
曾野綾子
援助活動を通じて見つめてきた、民族、宗教、貧困の葛藤。文学者だから語れる、日本人の国際的課題と任務。

改正でどうなった!? 新年金まるわかり
生活設計塾クルー
政治家ですら理解するのが難しい(!?)年金制度を改正点を交えてやさしく解説。一目でわかる厚生年金受給額早見表付き。

医者が教える！ 1分ダイエット
大川隆裕&Dr's net
1分で読めて、1分で納得！ 正しく健康的に、しかも確実に痩せるための、体と心に優しいダイエット基礎知識集。

ニューギニア水平垂直航海記
峠 恵子
ヨットも登山もド素人の女性が、洋上と秘境で見た「天国と地獄」の365日ボロボロ探検日記。（解説／椎名 誠）

SHOGAKUKAN BUNKO

好評新刊

台湾海峡から見たニッポン

酒井 亨

大国の覇権主義にさらされながら自らのアイデンティティーを主張し続ける台湾。日本よ、対中戦略を台湾に学べ！

ラストマン・スタンディング

デイヴィッド・バルダッチ

麻薬取引急襲の現場である言葉に突然フリーズする主人公。目の前で部下を殺され、FBIからは裏切り者扱いにされて。

逢魔が時物語

結城伸夫

日本最大のホラー・サイトに寄せられたいちばん怖い「本当にあった怖い話」。読みはじめたら、やめられない——。

〈新撰クラシックス〉童話集 春

竹久夢二

漂泊の詩人・竹久夢二が、子どもの純粋な心への賛美、美しいものへの憧憬をこめた珠玉の童話、全19篇。

法然の哀しみ（上）（下）

梅原 猛

一生不犯の聖人といわれる法然は、なぜ凡夫・女人などの庶民を救おうとしたのか。人生に秘められた謎に迫る。

女は三角 男は四角

内館牧子

〝あんたのかわりに言ってやる、浮き世の溜飲下げとくれ〟ますます冴える内館牧子の人気エッセイ待望の文庫化。

本書のプロフィール

本書は、市川拓司の小説『いま、会いにゆきます』（小社刊）を原作とする映画「いま、会いにゆきます」の脚本を原案として、著者が書き下ろした作品です。

シンボルマークは、中国古代・殷代の金石文字です。宝物の代わりであった貝を運ぶ職掌を表わしています。当文庫はこれを、右手に「知識」左手に「勇気」を運ぶ者として図案化しました。

「小学館文庫」の文字づかいについて

- 文字表記については、できる限り原文を尊重しました。
- 口語文については、現代仮名づかいに改めました。
- 文語文については、旧仮名づかいを用いました。
- 常用漢字表外の漢字・音訓も用い、
難解な漢字には振り仮名を付けました。
- 極端な当て字、代名詞、副詞、接続詞などのうち、
原文を損なうおそれが少ないものは、仮名に改めました。

ずっと、ずっと、あなたのそばに

映画「いま、会《あ》いにゆきます」——澪《みお》の物語《ものがたり》

著者　若《わか》月《つき》かおり

二〇〇四年十一月一日　初版第一刷発行
十一月二十日　第二刷発行

編集人——稲垣伸寿
発行人——佐藤正治
発行所——株式会社　小学館
〒一〇一-八〇〇一
東京都千代田区一ツ橋二-三-一
電話　編集〇三-三二三〇-五一三四
制作〇三-三二三〇-五三三三
販売〇三-五二八一-三五五五
振替　〇〇一八〇-一-二〇〇

ISBN4-09-408029-5

印刷所——図書印刷株式会社

小学館文庫